CODEBREAKERS

CODEBREAKERS require inspired guesswork, they are cross-words without clues. Every letter of the alphabet is used (you may find it useful to put the letter in the grid as you find it) and each letter has its own number. For example if the letter Y in the grid is the number 5, then every number 5 is a Y in the puzzle so insert this in all the boxes with a number 5

From then on it's a matter of skill, a knowledge of the language and make-up of words and perhaps just a little luck? Vowels nearly always appear at least once in a word but letters such as X & Z are few and far between. It's also worth remembering that a Q is very often followed by a U

However, CODEBREAKERS with only one letter supplied can be very difficult so, if you wish, you may refer to the page immediately following puzzle 66 and add a second or third letter to the reference grid.

A B C̶ D̶ E̶ F̶ G̶ H̶ I̶ J̶ K̶ L̶ M̶

8 D	6 O	25 V	16 E	13 T	9 A	3 I	4 L	■	5 F	3 I	8 D	18 G	16 E	13 T
2 R	■	3 I		9 A		12 N		7 K	■	13 T		26 U	■	6 O
9 A	12 N	1 A	16 E	7 S	13 T	15 H	16 E	13 T	3 I	11 C	■	5 F	6 O	2 R
26 U	■	8 D		14 K		6 O		9 A		15 H		5 F	■	24 Q
18 G	4 L	26 U	22 M	■	6 O	7 S	16 P	10 R	■	9 A		26 U
15 H		11 C		1 P		1 P		8 D	■	17 W	6 O	16 E
13 T	3 I	13 T	15 H	16 E		3 I	2 R	6 O	12 N	3 I	11 C	■	2 R	■	16 E
19 B	■		12 N		13 T	■	22 M		22 M		7 K		16 E
6 O	5 F	5 F	3 I	11 C	3 I	9 A	4 L	■	7 K	1 P	15 H	3 I	12 N	20 X̶
9 A	■	3 I		3 I		19 B		7 K	■	2 R		4 L	■	13 T
2 R	16 E	20 X		4 L	3 I	4 L	9 A	11 C		6 O	23 Z	6 O	12 N	16 E
8 D	■	13 T			16 E		15 H		22 M	■			2 R
■	21 J	26 U	12 N	13 T	9 A		23 Z	16 E	1 P	1 P	16 E	4 L	3 I	12 N
9 A	■	2 R		15 H		12 N		22 M		13 T		6 O	■	9 A
13 T	15 H	16 E	2 R	16 E	5 F	6 O	2 R	16 E		26 U	12 N	13 T	3 I	4 L

N̶ O̶ P̶ Q̶ R̶ S̶ T U̶ V W̶ X̶ Y̶ Z̶

REFERENCE GRID

1	2	3	4	5	6	7	8	9	10	11	12	13
P	R	I	L	F	O	S̶	D	A	Y	C	N	T
14	15	16	17	18	19	20	21	22	23	24	25	26
K	H	E	W	G	B	X	J	M	Z	Q	V	U

2

Left column labels: A B C D E F G H I J K L M

Right column labels: N O P Q R S T U V W X Y Z

17	13	19	10	12	2	20	■	20	3	25	2	23	9	14
15	■	25	■	25	■	17	■	3	■	13	■	12	■	20
3 **R**	14	12	13	14	24	26	7	10	11	■	23	25	8	25
7	■	18	■	2	■	14	■	11	■	11	■	5	■	6
4	7	■	12	14	10	3	7	20	25	2	■	14	22	10
17	■	22	■	■	■	12	■	■	■	17	■	■	■	14
20	1	17	20	2	1	■	16	7	25	4	12	17	12	20
14	■	4	■	10	■	20	■	24	■	9	■	9	■	20
■	19	25	4	11	17	8	■	7	3	25	5	25	2	14
19	■	11	■	20	■	14	■	12	■	17	■	14	■	■
17	3	20	■	7	10	12	2	14	11	■	11	12	25	16
3	■	3	■	13	■	20	■	■	■	19	■	■	■	9
4	3	17	20	25	5	25	2	17	20	25	7	■	12	10
7	■	20	■	17	■	14	■	9	■	4	■	14	■	22
12	14	14	13	9	14	11	11	9	21	■	11	20	10	15

REFERENCE GRID

1	2	3 **R**	4	5	6	7	8	9	10	11	12	13
14	15	16	17	18	19	20	21	22	23	24	25	26

A B C D E F G H I J K L M

N O P Q R S T U V W X Y Z

22	11	25	23	14	7 R	21	■	15	14	19	14	5	14	1
11	■	11	■	18		14	7	7	■	4		14	■	17
20	14	8	6	4	1	17	■	11	22	10	4	15	6	2
26	■	6		13	■	7	■	10	■	18	■	3		2
14	5	14	■	14	6	10	6	25	26	■	2	11	1	11
7	■	20	11	10	■		26	■	16	■	11	■		
26	11	20	■	20	11	10	2	4	1	1	4	20	4	2
11	■	14	■		14	■	20	■	17	■			23	
11	3	■	17	1	23	17	1	4	■	13	7	17	9	14
12	■	14	■	17		20	■	2	■	6	■	20	■	20
■	12	7	4	24	24		14	■	2	14	16	20	4	25
11	■	7	■	4	■	21	■	4	■			17	■	26
15	7	17	24	14	10	■	11	12	14	2	■	25	17	16
11	■	20	■	2	■	■		14	■	23	■	26	■	17
14	1	17	2	20	4	25	■	17	10	4	2	14	14	12

REFERENCE GRID

1	2	3	4	5	6	R 7	8	9	10	11	12	13
14	15	16	17	18	19	20	21	22	23	24	25	26

4

A B C D E F G H I J K L M

A	I	R	S	H	I	P		T	U	R	K	I	S	H
P		A		E		O		A		E		C		I
O	X	I	D	E		S	U	B	M	A	R	I	N	E
S		N		L		T		L		f		C		R
T	A	B	L	E	S	P	O	O	N	f	u	L		A
A		O		R		O		i		O		E		R
S	O	W	N			N	A	D	I	R		S	A	C
y			J		E			N	E	T				H
	W	I	Z	A	R	D	R	y		S	O	G	G	y
Q		S		S			O		T		i			
U	L	T	I	M	A	T	E	L	y		O	P	A	L
A		H		i		O		K		S		S		A
i	M	M	U	N	I	T	y		L	A	i	T	y	
N		U		E		E		O		A		E		E
T	U	S	K		i	M	P	R	O	V	i	S	E	R

N O P Q R S T U V W X Y Z

REFERENCE GRID

1	2	3	4	5	6	7	8	9	10	11	12	13
K	Y	W	D		H	A	U	B	R	Z	X	M

14	15	16	17	18	19	20	21	22	23	24	25	26
P	O	J	Q	L	f	i	E	G	N	T	S	V

When you have completed this puzzle transfer the letters to the grid below to find a proverb.

A B C D E F G H I J K L M

	4 T	22 A	17 L	6 K	24 E	10 D		19 G	22 A	26 M	5 B	17 L	24 E	
5 B		17 L				12 R	14 O	24 E			22 A		16 C
12 R	15 U	17 L	24 E		19 G	14 O	2 W	3 N		16 C	22 A	4 T	16 C	13 H
24 E		14 O		1 f		14 O	3 N	24 E		8 i		24 E		24 E
16 C	14 O	2 W	21 S	17 L	8 i	7 P		12 R	24 E	11 V	24 E	12 R	21 S	24 E
24 E				22 A		24 E	12 R	22 A		8 i		22 A		12 R
21 S	13 H	8 i	7 P	7 P	24 E	10 D		17 L	14 O	16 C	22 A	17 L	17 L	23 Y
	8 i		14 O		6 K			15 U		8 i		14 O		
21 S	7 P	14 O	7 P	4 T	24 E	10 D		8 i	4 T	24 E	12 R	22 A	4 T	24 E
18 Q		9 X		2 W		24 E	12 R	19 G		9 X				22 A
15 U	3 N	8 i	1 f	8 i	24 E	12 R		3 N	24 E	22 A	12 R	8 i	3 N	19 G
24 E		10 D		16 C		22 A	19 G	14 O		26 M		16 C		17 L
22 A	19 G	8 i	17 L	24 E		4 T	15 U	12 R	1 f		14 O	14 O	20 Z	24 E
17 L		21 S				24 E	23 Y	24 E			3 N		4 T
	25 J	24 E	24 E	12 R	24 E	10 D		10 D	15 U	12 R	24 E	21 S	21 S

N O P Q R S T U V W X Y Z

REFERENCE GRID

1 f	2 W	3 N	4 T	5 B	6 K	7 P	8 i	9 X	10 D	11 V	12 R	13 H
14 O	15 U	16 C	17 L	18 Q	19 G	20 Z	21 S	22 A	23 Y	24 E	25 J	26 M

PROVERB

10 D	8 i	21 S	16 C	12 R	24 E	4 T	8 i	14 O	3 N		8 i	21 S		
4 T	13 H	24 E		5 B	24 E	4 T	4 T	24 E	12 R		7 P	22 A	12 R	4 T
	14 O	1 f		11 V	22 A	17 L	14 O	15 U	12 R					

6

A B C D E F G H I J K L M

The grid spells out words including:
- BADMINTON · BADGE
- GAZEBO · EVENSONG
- IGNEOUS · GRIFFIN
- EXCELLENT · SHOE
- ESTONIA · PADRE
- BULLOCK · WOMB
- RAG
- MERRY · CHRISTMAS

N O P Q R S T U V W X Y Z

REFERENCE GRID

1	2	3	4	5	6	7	8	9	10	11	12	13
A	Q		f	u	B	X	W	V	C	S	N	O

14	15	16	17	18	19	20	21	22	23	24	25	26
D	G	E	R	P	J	Y	Y	M	Z	i	L	H

A B C D E F G H I J K L M (left margin)

N O P Q R S T U V W X Y Z (right margin)

10	16	19	8	21	25	15	14	■	4	20	15	17	13	3
16	■	7	■	17	■	19	■	8	■	26	■	■	■	25
14	26	12	12	25	4	7	■	18	26	22	1	23	25	14
21	■	15	■	4	■	8	■	26	■	18	■	14	■	9 (C)
17	16	1	16	12	■	9	15	14	20	26	5	8	21	16
25	■	6	■	25	■	16	■	13	■	9	■	1	■	17
12	16	15	■	14	25	21	■	8	17	23	■	3	6	16
15	■	14	■	5	■	7	■	14	■	■	■	8	■	12
11	26	25	21	■	4	12	8	21	■	2	8	9	23	7
26	■	3	■	1	■	16	■	■	■	16	■	23	■	■
25	15	21	8	3	■	14	26	24	24	12	16	■	25	4
3	■	■	■	16	■	16	■	25	■	9	■	22	■	8
22	8	3	11	26	16	■	18	12	15	15	13	25	16	13
■	■	26	■	13	■	■	■	9	■	22	■	14	■	16
21	26	22	1	15	■	8	21	6	12	16	21	25	9	3

REFERENCE GRID

1	2	3	4	5	6	7	8	C 9	10	11	12	13
14	15	16	17	18	19	20	21	22	23	24	25	26

8

Left column legend: A B C D E F G H I J K L M

Right column legend: N O P Q R S T U V W X Y Z

6	25	18	18	11	15	13	25	13	■	7	25	15	4	19
15	■	19	■	15	■	8	■	26	■	19	■	19	■	12
14	15	23	19	9	■	26	14	13	25	16	11	2	4	22
13	■	3	■	13	■	19	■	3	■	26	■	■	■	13
6	15	19	20	■	2	1	17	17	24	17	18	13	■	23
25	■	14	■	21	■	5	■	14	■	■	■	26	■	19
15	26	2(T)	4	19	1	■	17	13	3	15	26	13	19	4
26	■	■	■	6	■	17	■	17	■	2	■	3	■	■
13	11	25	18	5	■	9	19	10	10	15	9	25	4	13
■	■	18	■	11	■	26	■	26	■	6	■	6	■	4
3	18	15	13	19	25	6	19	4	4	22	■	25	6	17
18	■	14	■	23	■	19	■	■	■	13	■	15	■	14
15	3	25	26	23	■	2	25	16	11	2	17	14	17	9
1	■	14	■	17	16	15	■	19	■	■	19	■	■	17
4	19	16	17	18	■	18	17	16	25	13	2	18	19	18

REFERENCE GRID

T (1)	2	3	4	5	6	7	8	9	10	11	12	13
14	15	16	17	18	19	20	21	22	23	24	25	26

A B C D E F G H I J K L M

9 T	8 U	16 R	17 B	18 A	11 N		15 E	26 f	26 f	8 U	6 S	30 I	4 V	15 E
12 O		30 I		25 L		23 K	8 U		11 N		14 G		5 C
16 R	15 E	17 B	15 E	25 L	25 L	30 I	12 O	11 N		30 I	12 O	11 N	30 I	5 C
16 R		18 A		15 E		6 S		23 K		6 S		12 O		15 E
15 E	8 U	25 L	12 O	14 G	2 P	6 S	15 E		6 S	15 E	16 R	22 M	12 O	11 N
11 N		13 D		12 O				13 D		19 X		30 I		9 T
9 T	12 O		5 C	16 R	12 O	10 Q	8 U	15 E	9 T			11 N	12 O	16 R
30 I		6 S		21 Y		8 U		26 f		20 H		30 I		30 I
18 A	5 C	1 H	15 E		2 P	18 A	25 L	18 A	15 E	12 O	24 Z	12 O	30 I	5 C
25 L		18 A		22 M		11 N		22 M		6 S		8 U		
	30 I	22 M	17 B	8 U	15 E	13 D		18 A	16 R	9 T	30 I	6 S	18 A	11 N
7 W		16 R		9 T		18 A	5 C	9 T		25 L				18 A
16 R	12 O	12 O	6 S	9 T	15 E	16 R		30 I	5 C	15 E	25 L	18 A	11 N	13 D
18 A		5 C		12 O		21 Y		12 O				11 N		30 I
2 P	15 E	23 K	3 I	11 N	14 G		15 E	11 N	14 G	15 E	11 N	13 D	15 E	16 R

N O P Q R S T U V W X Y Z

REFERENCE GRID

| 1 H | 2 P | 3 i | 4 V | 5 C | 6 S | 7 W | 8 U | 9 T | 10 O | 11 N | 12 O | 13 D |
| 14 G | 15 E | 16 R | 17 B | 18 A | 19 X | 20 H | 21 Y | 22 M | 23 K | 24 Z | 25 L | 26 f |

A B C D E F G H I J K L M

10	11	25	23	14	5	4	13	2	■	1	10	11	4	18
11	■	26	■	26	■	■	14	■	22	■	23	■	■	26
14	5	25	11	10	7	■	5	12	10	11	4	7	26	14
23	■	3	■	11	■	10	■	5	■	17	■	■	■	3
4	11	1	2	13	2	11	10	26	4	26	■	9	11	12
17	■	■	■	5	■	25	■	■	13	■	11	■	■	26
■	13	14	5	21	5	11	10	■	10	26	9	5	3	4
15	■	3	■	5	■	10	■	12	3	■	2	■	■	26
26	19	8	11	13	5	3	4 N	■	6	2	11	12	16	■
3	■	13	■	23	■	4	■	■	18	■	12	■	■	4
1	11	5	7	■	20	26	5	14	■	■	13	11	17	5
11	■	4	■	22	■	■	4	■	14	11	■	16	■	16
14	5	26	12	10	5	4	9	■	11	■	10	5	16	25
7	■	■	■	11	■	■	3	■	24	■	■	9	■	8
23	11	6	2	13	■	12	13	14	26	4	8	3	8	12

N O P Q R S T U V W X Y Z

REFERENCE GRID

1	2	3	4 N	5	6	7	8	9	10	11	12	13
14	15	16	17	18	19	20	21	22	23	24	25	26

A~~B~~~~C~~~~D~~~~E~~~~F~~ G ~~H~~~~I~~~~J~~~~K~~ L ~~M~~

C	O	R	O	N	A	T	I	O	N	E	C	H	O
R		E		E		I		P		V			X
I	C	E	B	E	R	G		A	L	I	M	O	N	Y
T		L		D		H		Q		K		S		G
I			F		T	O	U	R	I	S	M	O		E
C	O	S	T	U	M	E		E		N		O		N
		I		L		N	O		A	G	A	T	E	
J	A	Z	Z				N	U	N			I		A
O		Z		I		W		L		V	O	C	A	L
D	I	L	E	T	T	A	N	T	E		P			J
H		E		E		D		I		A	U	G	U	R
P			R	I	D	E		M		L				U
U	M	B	R	A		L	E	A	R	N	E	D		I
R		U		T		E		T		N				S
S	U	N	K	E	N		N	E	P	O	T	I	S	M

N O P Q R S T U V W X Y Z

REFERENCE GRID

1	2	3	4	5	6	7	8	9	10	11	12	13
S	A	L	Z	C	G	D	O	U	T	R	J	P

14	15	16	17	18	19	20	21	22	23	24	25	26
I	N	M	X	K	Q	W	H	V	F	Y	B	E

A B C D E F G H I J K L M (left) **N O P Q R S T U V W X Y Z** (right)

9	1	25	4	24	2	14	9	25	20	5	■	23	2	16
2	■	13	■	■	24	■	■	4	■	4	■	2	■	13
3	2	22	3 (T)	4	24	4	12	18	■	21	13	12	2	10
1	■	14	■	8	■	15	■	11	20	13	■	■	■	4
25	13	20	10	4	22	9	■	13	■	14	13	1	2	5
13	■	9	■	10	■	4	■	10	■	3	■	14	■	25
24	2	3	3	13	14	24	18	■	11	18	10	2	6	4
■	■	20	■	■	■	13	■	■	4	■	■	6	■	15
21	■	1	■	2	■	3	4	19	13	10	■	5	20	13
2	■	■	■	11	■	13	■	10	■	2	■	■	3	■
24	4	2	26	13	14	■	17	2	1	19	2	24	■	7
20	■	23	■	10	■	15	■	21	■	13	■	13	6	22
2	5	4	24	4	12	18	■	20	10	11	20	2	■	4
10	■	19	■	20	■	3	■	9	■	■	10	■	■	3
3	14	13	10	11	■	13	3	25	13	14	■	14	18	13

REFERENCE GRID

1	2	3 (T)	4	5	6	7	8	9	10	11	12	13
14	15	16	17	18	19	20	21	22	23	24	25	26

13

Codeword puzzle grid (rows A–M, reference letters N–Z on the right).

	1	2	3	4	5	6	7	8	9	10	11	12	13	14
A	7 (D)	19	17	20	21	22	10	■	4	24	20	23	8	5	8
B	5	■	14	■	20	■	20	■	■	8	■	20	■	■	14
C	18	5	17	7	5	8	8	20	■	8	20	23	22	13	13
D	20	■	25	■	25	■	■	23	19	5	■	5	■	■	13
E	25	3	5	10	8	23	24	21	■	23	5	13	24	11	5
F	8	■	17	■	23	■	17	■	2	■	■	19	■	■	5
G	20	15	25	10	14	17	7	■	20	12	5	■	5	■	■
H	8	■	22	■	■	5	■	8	■	6	5	17	14	17
I	5	10	10	5	17	8	23	22	10	■	10	■	7	■	14
J	■	■	20	■	22	■	■	2	20	26	18	5	■	18
K	16	22	26	14	11	23	20	21	■	■	24	■	20	11	5
L	5	■	■	2	■	23	■	12	■	7	■	18	■	21
M	7	20	9	5	■	13	23	5	5	9	5	■	14	23	15
	11	■	14	■	25	■	20	■	26	■	■	■	24	■	5
	5	10	14	17	14	21	19	■	7	■	1	24	23	14	23

REFERENCE GRID

1	2	3	4	5	6	7 (D)	8	9	10	11	12	13
14	15	16	17	18	19	20	21	22	23	24	25	26

14

Codeword puzzle grid (letters A–M across top, N–Z across bottom).

A	B	C	D	E	F	G	H	I	J	K	L	M		
24	8	10	2	8	13	7	21	23	■	19	21	16	25	19
16	■	22	■	11	■	8	■	16	■	21	■	23	■	23
15	8	17	22	25	24	12	■	24	8	2	21	16	1	8
20	■	16	■	16	■	6	■	21	■	■	■	15	■	26
16	25	21	22	10	■	16	9	20	13	25	1	8	24	22
16	■	1	■	9	■	15	■	12	■	24	■	25	■	■
7	21	22	4 **G**	22	15	8	23	■	18	13	16	24	22	11
22	■	■	■	23	■	23	■	2	■	7	■	21	■	10
10	21	4	3	24	25	■	2	8	25	24	21	1	3	22
12	■	21	■	■	■	25	■	10	■	21	■	■	■	8
■	16	2	22	10	22	24	24	8	■	20	16	10	13	15
14	■	25	■	22	■	10	■	19	22	12	■	21	■	7
16	5	12	4	22	23	8	24	22	■	21	10	8	18	21
16	■	■	■	11	■	6	■	22	■	23	■	24	■	19
15	16	13	25	25	22	■	25	24	8	4	23	8	24	22

N O P Q R S T U V W X Y Z

REFERENCE GRID

1	2	3	4 **G**	5	6	7	8	9	10	11	12	13
14	15	16	17	18	19	20	21	22	23	24	25	26

15

Complete the puzzle transfer the letters to the grid below to find a British Prime Minister.

~~A~~ B ~~C~~ ~~D~~ ~~E~~ ~~F~~ G ~~H~~ ~~I~~ J ~~K~~ ~~L~~ ~~M~~

7 P	9 U	23 E	10 R	13 I	21 L	23 E		19 B	9 U	8 F	8 F	23 E	16 T
13 I			13 I		13 I		11 C	14 A	10 R		14 A		14 A
18 Q		20 W	2 O	23 E	8 F	9 U	21 L	14 A	11 C	12 M	23 E		10 R
9 U	22 N	13 I	16 T		16 T		2 O	3 Z	23 E	1 X	13 I	16 T
23 E		8 F		10 R	23 E	25 S	11 C	23 U	4 D		7 P		21 L
4 D	23 E	23 E	12 M	23 E	4 D		17 H		22 N	2 O	24 V	13 I	11 C	23 E
	26 G			19 B		6 K	23 E	26 G		11 C		10 R		16 T
2 O	8 F	8 F	13 I	11 C	23 E		14 A	22 N	6 K	21 L	23 E	16 T
13 I	10 R		10 R		5 Y	23 E	25 S		13 I		14 A
4 D	23 E	14 A	10 R	16 T	17 H		22 N		13 I	22 N	15 J	9 U	10 R	5 Y
13 I		11 C		17 H	23 E	4 D	26 G	13 I	22 N	26 G		7 P		14 A
2 O	24 V	14 A	21 L		14 A		14 A		9 U		25 S	2 O	2 O	22 N
16 T		25 S	2 O	13 I	21 L		26 G	14 A	10 R	4 D	23 E	22 N		6 K
13 I		14 A		16 T	2 O	23 E		23 E		23 E			23 E
11 C	10 R	9 U	22 N	11 C	17 H		14 A	4 D	14 A	7 P	16 T	23 E	4 D

~~N~~ ~~O~~ ~~P~~ ~~Q~~ ~~R~~ ~~S~~ ~~T~~ ~~U~~ ~~V~~ ~~W~~ X ~~Y~~ ~~Z~~

REFERENCE GRID

1	2	3	4	5	6	7	8	9	10	11	12	13
X	O	Z	D	Y	K	P	F	U	R	C	M	I
14	**15**	**16**	**17**	**18**	**19**	**20**	**21**	**22**	**23**	**24**	**25**	**26**
A	J	T	H	Q	B	W	L	N	E	V	S	G

BRITISH PRIME MINISTER

20	13	21	21	13	14	12		26	21	14	4	25	16	2	22	23
W	I	L	L	I	A	M		G	L	A	D	S	T	O	N	E

16

A	B	C	D	E	F	G	H	I	J	K	L	M

A	B	C	D	E	F	G	H	I	J	K	L	M		
9	4	6	10	25	3	20	4	■	23	4	13	3	17	7 **C**
4	■	3	■	12	■	4	■	6	■	17	■	6	■	17
12	4	9	15	12	7	8	17	20	25	11	15	■	3	20
17	■	25	■	17	■	8	■	11	■	■	25	■	■	17
6	16	8	4	20	7	1	■	21	17	2	12	6	■	7
20	■	20	■	25	■	4	■	7	■	17	■	15	■	4
15	■	17	■	11	■	25	6	1	15	11	■	13	17	9
11	15	12	20	17	8	6	■	12	■	9	■	■	■	5
21	■	15	■	8	■	15	18	3	■	20	15	12	20	■
■	1	4	20	■	16	■	■	12	■	1	■	25	■	■
16	■	25	■	22	3	6	6	15	13	■	2	17	6	■
8	■	6	■	12	■	■	22	■	■	17	■	12	■	19
25	6	■	24	3	4	8	3	12	■	7	17	7	20	3
7	■	4	■	26	■	4	■	4	■	11	■	15	■	12
22	3	12	13	15	11	14	17	11	20	15	12	■	4	18

N O P Q R S T U V W X Y Z

REFERENCE GRID

1	2	3	4	5	6	7	8	9	10	11	12	13
						C						
14	15	16	17	18	19	20	21	22	23	24	25	26

A B C D E F G H I J K L M

4	20	4	4	25	14	■	25	14	7	23	25	14	3	23
20	■	25	■	14	■	22	■	9	■	20	■	20	■	25
1 **D**	25	7	7	9	16	4	13	9	■	12	21	20	26	1
10	■	20	■	21	■	8	■	1	■	20	■	1	■	25
25	11	14	25	23	9	7	■	13	22	14	20	13	25	14
14	■	■	■	25	■	16	■	9	■	8	■	9	■	11
■	12	8	2	22	16	22	7	■	7	16	22	7	6	■
15	■	9	■	■	■	13	■	1	■	8	■	■	■	12
13	9	14	11	23	6	■	24	25	12	■	22	7	25	22
9	■	■	■	9	■	4	■	7	■	16	■	23	■	21
19	9	21	20	19	■	21	9	5	26	25	7	25	23	9
25	■	20	■	22	■	25	■	26	■	7	■	12	■	14
4	21	20	18	7	9	1	■	25	14	15	13	9	3	23
13	■	7	■	■	■	13	■	9	■	25	■	14	■	22
9	19	23	21	20	17	9	21	23	■	23	25	1	22	13

N O P Q R S T U V W X Y Z

REFERENCE GRID

1 **D**	2	3	4	5	6	7	8	9	10	11	12	13
14	15	16	17	18	19	20	21	22	23	24	25	26

A B C D E F G H I J K L M (left) **N O P Q R S T U V W X Y Z** (right)

Codeword grid (15 × 15; ■ = shaded square):

22	20	14	5	8	20	5	13	6	14	■	9	22	24	20
16	■	22	■	20	■	21	■	2	■	18	■	17	■	14
1	11	23	5	22	3	18	14	20	■	10	18	5	5	18
11	■	18	■	21	■	10	■	17	■	20	■	22	■	5
16	20	3	18	5	■	7	■	6	18	2	18	19	17	20
13	■	8	■	20	3	18	6	8	■	20	■	18	■	21
6	2	18	4	17	■	17	■	■	14	5	11	17	■	13
22	■	17	■	■	20	■	13	■	5	■	13	■	■	6
5	8	20	18	21	15	■	13	17	26	20	21	14	20	■
20	■	■	■	20	■	6	■	25	■	■	■	20	■	10
■	3	22	21	13	14	8	■	11	19	2 (L)	15	■	21	22
19	■	12	■	19	■	18	■	13	■	18	■	13	■	2
22	2	11	10	17	11	14	■	21	22	16	13	6	22	2
4	■	21	■	20	■	20	■	15	■	19	■	18	■	20
24	17	20	22	16	13	17	19	■	14	20	22	17	6	20

REFERENCE GRID

1 L	2	3	4	5	6	7	8	9	10	11	12	13
14	15	16	17	18	19	20	21	22	23	24	25	26

A B C D E F G H I J K L M

N O P Q R S T U V W X Y Z

REFERENCE GRID

| J 1 | C 2 | B 3 | **N** 4 | F 5 | W 6 | Q 7 | R 8 | E 9 | S 10 | D 11 | X 12 | K 13 |
| i 14 | P 15 | O 16 | U 17 | L 18 | G 19 | A 20 | T 21 | Y 22 | M 23 | Z 24 | V 25 | H 26 |

20

Codeword Puzzle

Column reference letters (top): A B C D E F G H I J K L M

11	19	20	1	13	10	19	■	23	16	13	20	15	19	8
12	■	2	■	15	■	26	■	16	■	14	■	16	■	16
22	25	16	9	17	■	2	22	3	7	19	20	■	■	17
4(T)	■	17	■	19	■	16	3	12	■	1	■	22	■	19
8	■	16	18	20	19	■	12	■	26	13	17	18	19	12
11	■	17	■	21	■	16	■	6	■	12	■	12	■	■
13	15	19	25	19	15	4	1	13	12	■	3	16	20	17
14	■	15	■	12	■	16	■	22	■	23	22	3	■	19
■	22	17	13	12	4	14	■	20	16	13	5	■	■	14
14	■	20	■	8	■	26	■	4	■	18	■	19	3	19
3	2	16	10	■	■	16	16	24	19	■	■	12	■	26
9	■	15	16	3	■	11	■	■	■	14	3	19	22	20
4	16	■	9	■	3	19	9	18	2	4	■	18	■	22
26	■	■	14	■	■	12	■	■	9	■	8	■	4
2	16	20	4	9	26	13	12	4	13	20	19	■	3	19

Column reference letters (bottom): N O P Q R S T U V W X Y Z

REFERENCE GRID

1	2	3	4 (T)	5	6	7	8	9	10	11	12	13
14	15	16	17	18	19	20	21	22	23	24	25	26

21

A B C D E F G H I J K L M

S	O	C	I	A	L	I	S	M		Q	U	A	C	K
O		A		P		f		A		U		U		I
J	A	R	G	O	N		S	T	R	A	I	G	H	T
O		N		L		O		R		R		U		
U	W	I	F	O	R	M		I		T	A	S	T	Y
R		V		G		N	O	A	H			T		I
N		A		Y		I		R		A	S			D
	I	L	K		A	V	O	C	A	D	O			D
W				A		O		H		M		S	K	I
A	R	O	C		P	O	R	T		L	I	F	T	S
R		O	D	E		O		M		R		O		H
	Z	O	O			U		O	R	A	T	O	R	
B		K		I	N	S	E	T		L		P	A	W
A				L			T			S				A
R	E	V	O	L	U	T	I	O	N		H	O	A	X

N O P Q R S T U V W X Y Z

REFERENCE GRID

1	2	3	4	5	6	7	8	9	10	11	12	13
Q	P	K	V	T	f	U	A	C	O	S	N	D

14	15	16	17	18	19	20	21	22	23	24	25	26
G	E	R	B	X	J	Y	M		i	W	L	H

22

Letters down left side: A B C D E F G H I J K L M

Letters down right side: N O P Q R S T U V W X Y Z

Grid (█ = black cell):

10	4	9	9	2	2	█	13	4	8	13	2	4	24	11
4	█	8	█	4	█	21	█	14	█	7	█	15	█	24
23	21	2	3	6	7	5	█	23	█	11	26	2	2	15
2	█	2	█	█	█	5	7	21	12	█	█	8	█	2
6	24	12	13	2	█	7	█	4	█	11	15	2	7	8
7	█	4	█	16	█	10	4	24	8	3	█	3	█	25
6	18	5	15	26	█	24	█	11	█	8	█	3	2	7
3	█	█	█	7	25	25	18	█	23	21	23	7	█	3
█	█	21	█	25	█	7	█	26	█	15	█	█	█	21
10	4	6	10	2	15	3	21	4	6	█	19	21	2	23
4	█	9	█	█	█	2	█	8	█	26	█	8	█	2
1	26	21	11	19	18	█	21	█	4	█	21	3	█	█
7	█	12	█	21	█	2	6	20	18	5	2	11	█	17
8	█	2	█	25	█	5	█	4	█	2	█	█	█	4
12	2	25	21	6	22	24	2	6 (N)	3	█	14	4	5	14

REFERENCE GRID

1	2	3	4	5	N 6	7	8	9	10	11	12	13
14	15	16	17	18	19	20	21	22	23	24	25	26

23

A B C D E F G H I J K L M

N O P Q R S T U V W X Y Z

REFERENCE GRID

O	P	S	N	D	G	E	R	B	A	X	J	T
1	2	3	4	5	6	7	8	9	10	11	12	13

Y	M	K	Z	I	Q	V	U	W	L	C	H	F
14	15	16	17	18	19	20	21	22	23	24	25	26

A B C D E F G H I J K L M

24	2	16	11	3	21	2	23	24	11	3	15	■	7	4
15	■	11	■	7	■	16	■	11	■	11	■	7	■	15
1	■	13	9	2	12	11	3	■	25	22	7	3	2	22
20	■	9	■	23	■	15	■	7	■	19	■	19	■	7
2	22	11	■	10	3	2	25	25	19	6	■	26	2	8
22	■	2	■	■	■	20	■	25	■	■	3	2	■	24
■	23	10	7	14	■	6	3	11	2	17	■	1	■	7
18	■	24	■	2	■	11	■	3	■	19	■	19	7	20
2	20	■	2	3	10	■	23	10	2	22	17	■	16	11
12	■	17	■	21	■	7	■	7	■	10	■	■	22	■
2	1	2	5	11	■	3	2	3	11	■	8	2	19	3
20	■	3	■	20	■	8	■	15	■	15	■	■	12	■
11	21	2	1	■	23	24	11	■	16	11	3	22	19	20
23	■	10	■	■	■	2	■	■	■	2	■	■	7 O	■
11	22	11	8	24	2	20	10	■	7	3	19	11	20	10

N O P Q R S T U V W X Y Z

REFERENCE GRID

1	2	3	4	5	6	7	8	9	10	11	12	13
						O						

14	15	16	17	18	19	20	21	22	23	24	25	26

25

Find the popular television series in the bottom grid by completing the large grid and transferring the letters.

A B C D E F G H I J K L M

²⁰F	¹⁸L	¹⁹O	⁴W	¹E	¹⁷R	¹⁰Y		⁹B	¹⁷R	¹⁹O	²⁴N	²²Z	¹E
¹⁹O			¹⁶A		¹E		¹⁶A	⁴W	¹⁸L		²⁴N		⁸Q
¹⁷R		¹¹S	¹⁸L	¹⁶A	²¹T	¹E	⁶D		¹⁶A	¹⁷R	²⁶C	²³H	⁵U
¹³M	³⁰I	²⁴N	⁷K		⁵U		¹⁵V		¹³Z		¹E	¹⁶A	¹¹S	¹E
¹⁶A		⁵U		²P	¹⁷R	¹⁶A	³⁰I	¹¹S	⁶E	⁶D		¹⁸L		¹⁷R
¹⁸L	¹⁶A	¹²G	¹⁹O	¹⁹O	²⁴N		²⁶C		⁶D	⁶E	⁹B	²¹T	¹⁹O	¹⁷R
	²⁰F			¹³Z		²⁰F	¹E	²⁴N		²⁴N		¹E		¹⁰Y
	²¹T	¹E	¹³Z	²P	¹E	¹⁷R		²⁴N	¹¹S	⁵U	¹⁷R	¹E	
¹⁴J		²⁵X		¹⁹O		¹⁰Y	⁴W		¹E				¹⁵V
⁵U	²⁴N	²¹T	¹⁷R	⁵U	¹E		¹⁶A		¹¹S	¹⁸L	¹⁹O	⁴W	¹E	¹⁷R
¹²G		¹⁹O		¹¹S	²¹T	¹E	¹⁷R	²⁴N	¹⁸L	¹⁰Y		¹E		¹⁶A
¹²G	¹⁶A	¹⁷R	⁹B		²³H		⁴W		¹E		¹⁶A	²⁰F	¹⁶A	¹⁷R
¹⁸L		²¹T	¹⁶A	²⁵X	³⁰I		³⁰I	²⁴N	⁶D	³⁰I	²⁶C	²¹T		¹E
¹E		²¹T		²⁶C	¹⁹O	¹²G		¹²G		²³H			²⁰F
⁶D	³I	¹¹S	²³H	¹E	¹¹S		¹¹S	¹E	¹⁵V	¹E	²⁴N	²¹T	¹⁰Y

N O P Q R S T U V W X Y Z

REFERENCE GRID

1	2	3	4	5	6	7	8	9	10	11	12	13
E	P	I	W	U	D	K	Q	B	Y	S	G	Z
14	15	16	17	18	19	20	21	22	23	24	25	26
J	V	A	R	L	O	F	T	Z	H	N	X	C

TELEVISION SERIES

⁹B	³I	¹⁷R	⁶D	¹¹S		¹⁹O	²⁰F	
¹⁶A		²⁰F	¹⁶E	²¹A	²³T	²⁴H	¹E	¹⁷R

26

A B C D E F G H I J K L M

12	10	24	11	9	15	9	10	7	■	19	15	3	5	26
10	■	10	■	15	■	10	■	10	■	23	■	8	■	6
7	■	15	■	5	7	7	10	1	23	18	15	14	25	10
22	5	22	5	13	■	1	■	25	■	23	■	25	■	26
8	■	10	■	■	3	10	12	10	22	15	■	5	12	20
23	■	■	■	11	■	26	■	16	■	25	■	12	■	19
11	8	14	7	5	10	18	4	■	■	■	■	■	■	15
■	■	4	■	12	■	5	■	15	9	7	5	26	8	18
17	15	2	2	■	25	8	15	13	■	5	■	6	■	10
23	■	15	■	15	■	12	■	3	■	9	8	10	18	■
11	10	12	15	18	10	■	22	10	18	■	■	7	■	19
18	■	18	■	18	■	9	■	■	■	5 I	■	23	■	8
5	12	5	18	5	15	25	■	15	26	7	8	14	15	18
26	■	12	■	7	■	8	■	25	■	15	■	■	■	10
10	25	10	19	10	12	18	15	25	■	21	23	10	11	18

N O P Q R S T U V W X Y Z

REFERENCE GRID

1	2	3	4	5 I	6	7	8	9	10	11	12	13
14	15	16	17	18	19	20	21	22	23	24	25	26

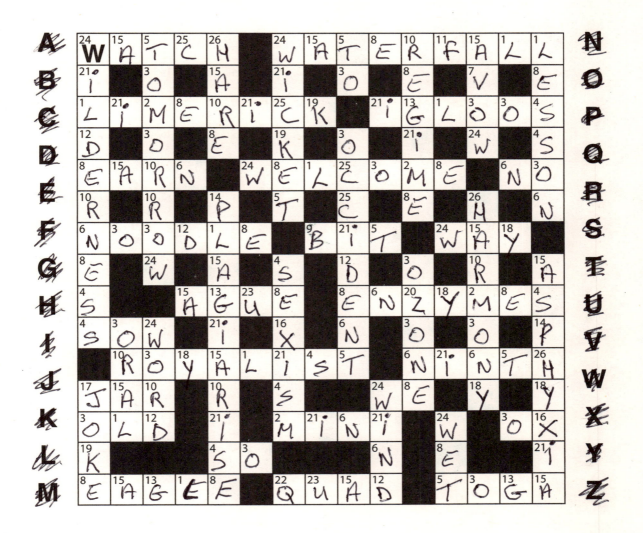

REFERENCE GRID

L	M	O	S	T	W	V	E	B	R	F	D	G
1	2	3	4	5	6	7	8	9	10	11	12	13
P	A	X	J	Y	K	Z	I	Q	U	W	C	H
14	15	16	17	18	19	20	21	22	23	24	25	26

28

Left column letters: A B C D E F G H I J K L M

Right column letters: N O P Q R S T U V W X Y Z

Main grid (codeword):

18	8	7	25	5	6	■	15	25	19	19	6	2	12	12
2	■	5	■	17	■	5		21	■	4	■	1	■	5
13	16	25	26	2	1	19	■	25	16	6	23	7	8	19
16	■	22	■	■	2	■	26	■	5	■	26	■	4	
5	24	2	1	25	2	■	9	2	6	1	■	23	■	6
6	■	■	14	■	13	■	26	■	1	13	12	2	■	
14	6	25	23	14	■	16	13	2	12	4	■	8	■	3
4	■	26	■	2	■	19	■	13	■	■	■	■	2	
■	12	10	13	6	16	23	13	1	■	21	8	5	21	23
11	■	2	■	■	10	■	■	6	5	■	24	■	6	
25	■	6	5	10	23	12	20	■	9	26	23	16	■	
5	■	■	13	■	■	2	20	23	19	■	5	■	5	
6(R)	5	23	26	3	5	4	■	2	■	5	26	19	2	6
19	■	1	■	14	■	■	1	■	1	■	13	■	23	
13	20	1	23	24	13	6	13	25	12	■	5	6	2	5

REFERENCE GRID

1	2	3	4	5	R 6	7	8	9	10	11	12	13
14	15	16	17	18	19	20	21	22	23	24	25	26

29

A̶ B C̶ D̶ E̶ F̶ G̶ H̶ I̶ J̶ K L̶ M

15 B	25 U	11 N	20 Y	23 I	16 P		22 Z	14 E	16 P	16 P	14 E	3 L	23 I	11 N	14 A
12 O		12 O		11 N		25 U		25 U			14 E		17 A
25 U	11 N	1 M	17 A	10 S	21 K		4 R	14 E	6 F	23 I	11 N	14 E	4 R	20 Y
13 D		17 A		23 I		23 I		6 F			9 C		
12 O	4 R	13 D	23 I	11 N	17 A	11 N	9 C	14 E		17 A	15 B	26 H	12 O	4 R
23 I		23 I		9 C		26 H		1 M					14 E
4 R	12 O	9 C	21 K	14 E	4 R	20 Y		6 F	14 E	17 A	10 S	19 T		24 Q
	17 A			4 R			14 E		22 Z		14 E	1 M	25 U
2 G	4 R	12 O	5 W	14 E	4 R		17 A	1 M	12 O	14 E	15 B	17 A		23 I
17 A		4 R			18 J		23 I		13 D				14 E
22 Z	17 A	15 B	17 A	2 G	3 L	23 I	12 O	11 N	14 E		19 T	26 H	14 E	1 M
14 E		23 I		4 R		2 G		23 I		6 F		20 Y	
19 T	17 A	19 T	19 T	12 O	12 O		10 S	12 O	3 L	8 V	14 E	11 N	19 T
19 T		17 A		25 U		5 W	14 E	19 T		14 E		11 N	12 O
14 E	9 C	3 L	23 I	16 P	10 S	14 E		10 S	14 E	19 T	17 A	11 N	19 T

N̶ O̶ P̶ Q̶ R̶ S̶ T̶ U V̶ W X Y̶ Z

REFERENCE GRID

1 M	2 G	3 L	4 R	5 W	6 F̶	7 X	8 V	9 C	10 S	11 N	12 O	13 D
14 E	15 B	16 P	17 A	18	19 T	20 Y	21 K	22 Z	23 I	24 Q	25 U	26 H

30

A B C D E F G H I J K L M

14	19	24	24	22	24	12	■	26	2	22	8	25	6 (H)	21
19	■	22	■	24	■	24	■	25	■	23	■	22	■	1
3	1	8	8	1	18	1	8	22	25	10	1	4	■	15
19	■	4	■	4	■	■	■	18	■	22	■	25	■	12
18	■	10	9	21	14	14	■	14	10	25	12	8	22	14
8	■	26	■	■	■	12	■	12	■	10	■	19	■	■
22	25	6	14	12	25	10	3	■	16	1	1	17	12	9
25	■	■	■	1	■	26	■	12	■	4	■	■	■	12
12	11	25	10	4	24	19	10	26	6	■	6	22	9	13
■	■	1	■	■	■	8	■	3	■	24	■	14	■	12
17	22	8	7	19	12	12	■	9	8	22	12	17	10	3
22	■	17	■	20	■	14	■	14	■	5	■	22	■	25
5	8	12	12	26	25	21	14	12	■	5	19	4	24	10
10	■	4	■	12	■	■	■	4	12	12	■	22	■	1
22	4	25	■	25	8	19	26	25	■	8	■	3	■	4

N O P Q R S T U V W X Y Z

REFERENCE GRID

1	2	3	4	5	6 H	7	8	9	10	11	12	13
14	15	16	17	18	19	20	21	22	23	24	25	26

31

A B C D E F G H I J K L M

5 T	3 R	23 O	2 P	16 H	18 Y		4 V	23 O	19 L	11 C	26 A	24 N	15 I	11 C
23 O		2 P		18 Y		23 O		11 C		26 A		15 I		23 O
3 R	16 H	26 A	2 P	12 S	23 O	8 D	15 I	11 C	26 A	19 L		3 R	15 I	6 M
24 N		1 Q		5 T		14 E		26 A		19 L		4 V		14 E
26 A	11 C	22 U	6 M	14 E	24 N		26 A	12 S	2 P	15 I	3 R	26 A	24 N	5 T
8 D		14 E		3 R		25 T		15 I		21 G		24 N		
23 O	13 W	24 N		15 I	21 G	19 L	23 O	23 O		3 R	23 O	26 A	12 S	5 T
		14 E		26 A		26 A		24 N		26 A			26 A
9 J	22 U	12 S	5 T		15 I	6 M	2 P		22 U	2 P	16 H	15 I	19 L	19 L
22 U		12 S		2 P		20 B			16 H		6 M		7 K
8 D	23 O		8 D	14 E	5 T	23 O	10 X		6 M	18 Y	23 O	2 P	15 I	26 A
26 A		16 H		2 P		18 Y		12 S			19 L		5 T
15 I	24 N	14 E	3 R	5 T	15 I	26 A		11 C	26 A	24 N	17 Z	23 O	24 N	15 I
12 S		19 L		15 I		24 N		22 U		26 A		3 R		4 V
6 M	15 I	6 M	15 I	11 C		5 T	15 I	6 M	14 E	2 P	15 I	14 E	11 C	14 E

N O P Q R S T U V W X Y Z

REFERENCE GRID

1	2	3	4	5	6	7	8	9	10	11	12	13
Q	P	R	V	T	M	K	D	J		C	S	W

14	15	16	17	18	19	20	21	22	23	24	25	26
E	I	H	Z	Y	L	B	G	U	O	N	T	A

A B C D E F G H I J K L M (left) **N O P Q R S T U V W X Y Z** (right)

26	9	26	10	11	10	■	20	13	3	13	5	5	13	6
19	■	16	■	13	■	13	■	1	■	24	■	9	■	16
10	23	6	16	25	16	8	9	26	■	17	25	22	9	7
7	■	25	■	7	■	2	■	5	■	9	■	7	■	10
7	13	4(S)	7	9	22	12	■	10	8	2	5	13	4	7
13	■	7	■	4	■	6	9	8	■	8	■	16	■	13
6	16	10	4	7	■	13	■	10	23	13	9	4	7	4
14	■	5	■	■	6	10	■	7	■	25	■	■	16	■
16	10	18	17	8	■	5	13	9	4	7	13	6	■	26
1	■	■	■	10	■	■	16	■	■	■	16	■	■	10
■	11	13	26	6	9	8	9	25	10	5	9	4	13	11
15	■	21	■	9	■	17	■	■	■	17	■	13	■	13
13	20	13	26	7	■	4	13	8	9	26	16	5	16	25
10	■	6	■	10	■	7	■	17	■	9	■	5	■	26
5	16	12	10	5	7	12	■	8	13	11	9	10	7	13

REFERENCE GRID

1	2	3 (S)	4	5	6	7	8	9	10	11	12	13
14	15	16	17	18	19	20	21	22	23	24	25	26

33

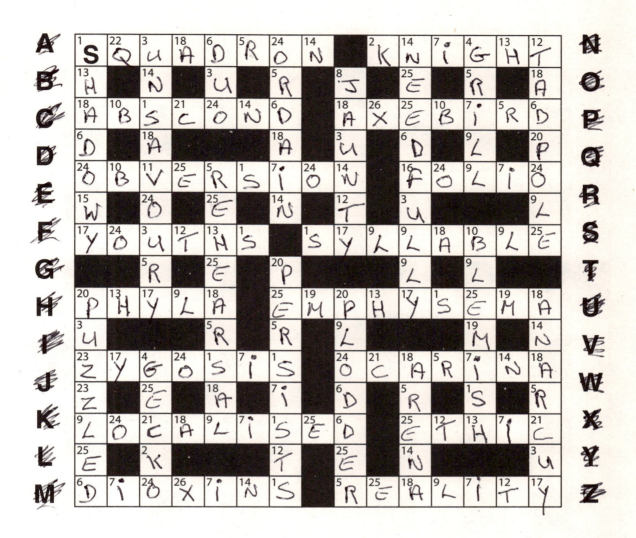

A B C D E F G H I J K L M

N O P Q R S T U V W X Y Z

REFERENCE GRID

S 1	K 2	U 3	G 4	R 5	D 6	I 7	J 8	L 9	B 10	V 11	T 12	H 13
N 14	W 15	F 16	Y 17	A 18	M 19	P 20	C 21	Q 22	Z 23	O 24	E 25	X 26

34

A B C D E F G H I J K L M

3 (F)	22	23	12	15	9	█	11	19	4	20	19	22	23	23
15	█	22	█	█	█	13	█	12	█	19	█	18	█	9
3	19	8	22	15	9	19	2	15	23	4	█	21	19	2
2	█	15	█	4	█	7	█	20	█	20	█	25	█	19
25	19	2	8	23	26	█	20	4	19	21	25	15	4	20
█	█	19	█	5	█	21	█	10	█	2	█	5	█	23
24	19	12	17	18	█	2	25	18	22	18	17	5	23	4
15	█	█	█	22	█	22	█	4	█	22	█	18	█	█
19	4	15	10	19	12	15	21	2	21	█	19	1	6	18
8	█	10	█	2	█	9	█	█	█	22	█	█	█	22
15	22	19	14	15	█	11	15	1	4	19	5	5	18	22
12	█	10	█	24	█	12	█	17	█	3	█	17	█	25
15	10	19	20	18	22	15	18	21	█	3	17	4	20	15
2	█	2	█	█	█	4	█	11	█	12	█	█	█	4
16	15	18	12	1	█	20	18	16	21	18	22	15	2	18

N O P Q R S T U V W X Y Z

REFERENCE GRID

1	2	3 (F)	4	5	6	7	8	9	10	11	12	13
14	15	16	17	18	19	20	21	22	23	24	25	26

35

When you have completed this puzzle transfer the letters to the grid below to find a quotation from Shakespeare.

A B C D E F G H I J K L M

15 P	7 O	9 E	25 T	18 I	13 C	14 A	21 L	21 L	3 Y		18 I	25 T	9 E	12 M
14 A		1 Q		17 N		20 B		9 E		14 A		2 H		9 E
22 S	2 H	6 U	17 N	25 T		22 S	8 W	9 E	25 E	17 T	9 N	22 E	22 S	22 S
25 T		18 I		9 E	25 T		5 K		25 T		12 M		22 S
9 E	11 X	15 P	14 A	17 N	16 D	9 E	16 D		26 F	9 R	18 I	9 E	19 Z	9 E
	15 P		25 T		17 N		18 I		14 A			17 N
1 Q	6 U	18 I	25 T		22 S	25 T	6 U	17 N		13 C	21 L	18 I	17 N	23 G
6 U		17 N		2 H		18 I		25 T		25 T		17 N		9 E
9 E	14 A	23 G	21 L	9 E		7 O	24 V	9 E	17 N		14 A	10 J	14 A	4 R
4 R				14 A		17 N		4 R		26 F		6 U
6 U	17 N	25 T	18 I	16 D	3 Y		14 A	17 N	14 A	21 L	3 Y	22 S	9 E	16 D
21 L		2 H		8 W		15 P		12 M		14 A		25 T		4 R
7 O	15 P	9 E	4 R	14 A	25 T	18 I	24 V	9 E		23 G	21 L	18 I	16 D	9 E
6 U		26 F		3 Y		9 E		17 N		7 O		13 C		23 G
22 S	18 I	25 T	9 E		15 P	4 R	9 E	25 T	9 E	17 N	16 D	9 E	4 R	22 S

N O P Q R S T U V W X Y Z

REFERENCE GRID

1	2	3	4	5	6	7	8	9	10	11	12	13
Q	H	Y	R	K	U	O	W	E	X	M	C
14	15	16	17	18	19	20	21	22	23	24	25	26
A	P	D	N	I	Z	B	L	S	G	V	T	F

QUOTATION

18 I		12 M	6 U	25 T		20 B	9 E		13 C	4 R	6 U	9 E	21 L	
7 O	17 N	21 L	3 Y		25 T		20 B	9 E		5 K	18 I	17 N	16 D	

36

Reference alphabet: A B C D E F G H I J K L M / N O P Q R S T U V W X Y Z

13	4	14	26	7 (D)	26	6	21	■	22	26	10	23	26	15
26	■	26	■	26	■	4	■	19	■	20	■	11	■	4
11	26	12	26	12	4	18	9	15	15	2	■	9	4	13
10	■	10	■	18	■	■	■	26	■	12	■	15	■	5
9	13	17	18	8	26	13	9	12	6	■	5	15	18	2
21	■	14	■	■	■	4	■	19	■	7	■	■	■	1
21	25	4	13	5	2	11	■	4	11	9	5	26	8	9
9	■	11	■	26	■	12	■	4	■	19	■	3	■	12
21	18	7	26	13	■	17	26	12	2	19	18	15	15	6
8	■	■	■	5	■	14	■	■	■	9	■	2	■	■
■	8	26	15	25	11	26	10	12	9	10	2	■	26	8
16	■	■	■	15	■	11	■	18	■	18	■	24	■	9
18	25	20	11	26	9	7	2	7	■	15	26	9	11	7
9	■	4	■	13	■	■	■	4	25	12	■	13	■	21
24	9	25	■	23	17	8	2	11	■	6	26	10	17	12

REFERENCE GRID

1	2	3	4	5	6	7 (D)	8	9	10	11	12	13
14	15	16	17	18	19	20	21	22	23	24	25	26

A B C D E F G H I J K L M

8 R	25	19	10	11	25	8	15	1	23	■	9	25	3	4
25	■	4	■	25	■	17	■	19	■	2	■	20	■	25
16	24	15	15	17	8	7	14	23	■	24	4	3	25	4
3	■	3	■	■	■	17	■	18	■	3	■	4	■	19
4	17	20	25	15	3	5	■	15	19	22	3	3	4	21
■	■	19	■	1	■	15	■	19	■	25	■	25	■	17
6	3	18	15	19	■	25	18	5	3	15	19	4	15	■
3	■	15	■	4	■	8	■	13	■	3	■	■	■	16
16	8	25	25	13	14	23	4	■	18	5	8	19	11	14
8	■	■	■	14	■	■	■	26	■	■	■	4	■	3
19	5	5	8	17	10	3	15	19	15	3	25	4	■	12
15	■	19	■	18	■	10	■	8	■	18	■	24	■	12
3	26	20	19	18	18	17	■	18	24	14	15	19	4	19
25	■	24	■	■	■	19	■	1	■	19	■	14	■	8
4	19	15	24	8	19	14	14	23	■	26	24	18	17	10

N O P Q R S T U V W X Y Z

REFERENCE GRID

1	2	3	4	5	6	7	8 R	9	10	11	12	13
14	15	16	17	18	19	20	21	22	23	24	25	26

38

A B C D E F G H I J K L M

4 (H)	7	24	1	19	17	12	22	24	■	10	8	9	18	26
14	■	22	■	17	■	9	■	22	■	9	■	■	■	19
5	9	8	2	4	19	17	■	3	24	9	13	12	4	16
24	■	7	■	7	■	5	■	7	■	16	■	8	■	16
7	13	16	9	1	19	9	12	24	7	2	4	14	■	22
13	■	19	■	19	■	8	■	5	■	24	■	18	■	17
8	■	9	13	16	15	19	20	22	■	19	1	22	21	■
19	■	17	■	■	■	22	■	5	■	17	■	24	■	16
18	7	15	4	6	22	24	22	■	15	16	24	19	25	22
■	■	4	■	7	■	■	■	10	■	■	■	5	■	24
1	7	19	8	19	10	10	■	19	17	23	13	22	15	16
7	■	2	■	8	■	8	■	7	■	13	■	■	■	19
17	7	15	16	19	17	22	15	15	■	19	17	5	19	7
11	■	■	■	17	■	22	■	18	■	2	■	9	■	24
9	1	8	19	12	7	16	19	9	17	■	15	16	7	14

N O P Q R S T U V W X Y Z

REFERENCE GRID

1	2	3	4 (H)	5	6	7	8	9	10	11	12	13
14	15	16	17	18	19	20	21	22	23	24	25	26

39

A B C D E F G H I J K L M

18	21	17	18	19	19	18	23	10	25	█	13	7 (U)	26	26
21	█	█	█	11	█	25	█	13	█	12	█	6	█	24
17	18	2	11	24	19	21	█	13	18	24	20	24	6	16
24	█	█	█	6	█	24	█	18	█	11	█	22	█	16
16	7	20	18	16	█	19	10	20	23	█	21	9	6	7
7	█	█	█	4	█	11	█	█	7	█	25	█	█	25
10	18	25	19	█	21	24	5	25	10	6	9	19	24	18
7	█	█	5	█	5	█	9	█	12	█	18	█	█	11
19	10	21	6	10	20	9	6	11	█	18	20	20	4	█
█	█	18	█	9	█	█	█	25	█	6	█	█	█	3
8	18	15	█	25	9	14	10	24	6	23	9	25	█	7
18	█	24	█	5	█	10	█	9	█	█	█	10	█	10
16	24	21	21	24	5	1	22	24	19	24	11	10	25
10	█	18	█	10	█	9	█	9	█	10	█	10	█	7
6	4	20	10	6	█	25	7	25	18	20	█	25	18	21

N O P Q R S T U V W X Y Z

REFERENCE GRID

1	2	3	4	5	6	7	8	9	10	11	12	13
						U						

14	15	16	17	18	19	20	21	22	23	24	25	26

40

Column headers (left to right): A B C D E F G H I J K L M
Column headers (bottom): N O P Q R S T U V W X Y Z

24	7	26	13	26	22	11	9	■	19	26	12	24	23	8 **H**
12	■	12	■	17	■	15	■	2	■	20	■	6	■	6
21	18	21	25	26	13	15	■	26	20	20	26	23	26	12
15	■	20	■	4	■	■	■	13	■	6	■	19	■	8
22	17	26	2	6	20	26	12	5	■	15	16	24	12	6
20	■	21	■	20	■	17	■	20	■	26	■	■	■	16
21	18	13	26	6	12	26	23	■	24	23	21	20	4	24
12	■	■	■	15	■	4	■	1	■	21	■	16	■	11
26	17	6	13	5	■	11	9	8	21	20	21	13	12	■
6	■	10	■	■	26	24	■	26	■	■	■	21	■	3
13	5	20	6	13	■	23	21	7	17	26	23	23	26	6
■	■	26	■	11	■	11	■	20	■	13	■	5	■	24
21	23	14	16	21	26	13	12	21	13	23	11	■	26	12
1	■	16	■	17	■	23	■	24	■	21	■	4	■	20
20	26	11	■	24	12	11	12	8	6	24	23	6	7	11

REFERENCE GRID

1	2	3	4	5	6	7	8 **H**	9	10	11	12	13
14	15	16	17	18	19	20	21	22	23	24	25	26

A B C D E F G H I J K L M

8	19	7	6	9	22	■	25	22	18	13	9	15	22	6
1	■	6	■	18	■	22	■	13	■	16	■	7	■	22
8	18	6	2	8	14	12	24	13	■	18	24	10	8	1
5	■	7	■	18	■	7	■	■	■	22	■	1	■	19
6 P	24	5	9	15	22	5	13	9	8	14	■	20	5	16
■	■	19	■	19	■	19	■	18	■	9	■	22	■	■
1	19	8	6	9	13	■	1	19	7	15	17	9	18	11
8	■	18	■	7	■	1	■	5	■	■	■	18	■	22
12	■	9	■	18	24	19	■	9	14	6	1	■	7	26
3	■	19	■	■	■	8	5	18	■	5	■	4	■	26
8	18	16	7	17	24	13	■	1	25	7	11	8	18	■
11	■	■	■	18	■	9	■	9	■	21	■	9	■	26
22	23	8	5	24	■	7	5	15	25	24	1	19	5	22
19	■	1	■	22	■	8	■	■	■	5	■	■	■	19
24	21	24	■	13	9	1	19	8	5	12	22	18	15	24

N O P Q R S T U V W X Y Z

REFERENCE GRID

1	2	3	4	5	P 6	7	8	9	10	11	12	13
14	15	16	17	18	19	20	21	22	23	24	25	26

A B C D E F G H I J K L M   N O P Q R S T U V W X Y Z

5	24	1	4 (L)	4	5	16	■	3	8	18	17	6	16	23
21	■	26	■	5	■	25	■	■	4	■	15	■	■	8
24	5	16	23	26	23	12	14	3	25	5	15	3	■	23
5	■	25	■	5	■	14	■	12	■	23	■	5	■	12
2	12	23	6	3	■	6	19	18	6	22	22	4	6	14
5	■	■	■	12	■	12	■	3	■	■	■	12	■	5
24	14	26	5	21	26	11	6	■	18	12	3	21	5	26
8	■	4	■	■	■	14	■	25	■	2	■	■	■	4
26	10	8	26	15	4	26	21	6	■	6	13	5	23	■
4	■	19	■	14	■	15	■	14	■	15	■	21	■	19
■	24	5	3	5	21	25	6	14	5	23	■	23	7	12
7	■	21	■	2	■	■	■	5	■	26	■	6	■	3
26	21	5	19	26	23	5	12	21	■	20	12	14	6	26
9	■	8	■	23	■	24	■	11	■	6	■	5	■	5
23	6	19	15	6	14	■	5	3	12	21	12	19	5	16

REFERENCE GRID

1	2	3 (L)	4	5	6	7	8	9	10	11	12	13
14	15	16	17	18	19	20	21	22	23	24	25	26

43

A B C D E F G H I J K E M

18 S	11 A	8 R	3 O	23 N	5 G		15 Q	4 U	11 A	5 G	2 M	16 I	8 R	13 E
16 I		11 A				4 U		23 N		3 O		23 N		1
2 M	3 O	22 C	14 K	16 I	23 N	5 G	12 B	16 I	8 R	7 D		25 F	3 O	12 B
4 U		22 C		22 C		11 A		17 V		1		3 O		3 O
1 L	11 A	3 O	19 T	16 I	11 A	23 N		13 E	26 Y	13 E	12 B	8 R	3 O	9 W
22 C		3 O		22 C		7 D		8 R		18 S		2 M		
11 A	23 N	23 N	4 U	1 L		11 A	18 S	18 S	16 I	18 S	19 T	11 A	23 N	19 T
18 S			13 E				11 A			23 N		6 H
19 T	4 U	8 R	25 F		12 B	16 I	1 L	10 L	3 P	18 O	19 S	19 T	13 E	8 R
	4 U		25 F		8 R			4 U			3 O
24	4 U	8 R	3 O	8 R		3 O	17 V	13 E	8 R	19 T	6 H	8 R	3 O	9 W
11 A		11 A		13 E		23 N		21	18 S		11 A		11 A
10	11 A	1 L	13 E	18 S	19 T	16 I	23 N	13 E		16 I	2 M		9 W
11 A			22 C		13 E		8 R		20	16 I		11 A
23 N	3 O	21	16 I	3 O	4 U	18 S		19 T	4 U	13 E	18 S	11 A	26 Y

N Ø O P Q R S T U V W X Y Z

REFERENCE GRID

1	2	3	4	5	6	7	8	9	10	11	12	13
L	M	O	U	G	H	D	R	W		A	B	E
14	15	16	17	18	19	20	21	22	23	24	25	26
K	Q	I	V	S	T			C	N		F	Y

44

Complete the puzzle and transfer the letters to the grid below to find a Gilbert and Sullivan comic opera.

A B C D E F G H I J K L M

24	16 A	21	22			19	16	9	19	16	25	16	3	13
16			21	10	13	20		3		2		11		5
9	21	20	17		10	26	26	10	11	5	11	6		24
5		3		16	9	5		8				19		10
3	20	7		8			26	10	23	22	10	3	5	13
	2	10	23	5		16		21		20		16		5
7	5	6		3	15	24	19	5		7	20	12	5	13
16						24		1						21
11	20	6	5	23		5	8	5	11	6		14	16	17
18		20		16		21		13			19	5	16	21
15	11	9	16	24	4	5	13			5		13	5	2
5		26				3		23	21	17		5		19
6		20	7	23	6	16	24	21	5		16	13	25	5
5		23		10		6		16	1	20	1			5
13	5	6	5	3	1	5	11	6			5	8	10	21

N O P Q R S T U V W X Y Z

REFERENCE GRID

1	2	3	4	5	6	7	8	9	10	11	12	13
14	15	16 A	17	18	19	20	21	22	23	24	25	26

OPERA

6	19	5		9	10	3	16	6	5	23	
20	22		9	5	11	25	16	11	24	5	

45

11	8	9 **U**	20	23	■	9	17	18	23	12	13	19	19	25
22	■	12	■	11	■	17	■	12	■	6	■	26	■	15
8	7	3	6	11	9	6	25	1	■	11	9	8	24	8
7	■	8	■	■	■	21	■	17	■	15	■	12	■	17
19	7	17	6	5	12	23	21	23	17	25	■	6	17	14
12	■	■	■	6	■	4	■	21	■	2	■	17	■	■
19	3	10	23	26	25	■	23	21	26	8	5	8	18	23
9	■	23	■	25	■	26	■	■	■	12	■	■	■	4
21	6	12	■	9	17	8	24	19	6	18	8	3	22	23
■	■	9	■	12	■	6	■	12	■	■	■	19	■	7
8	6	21	22	23	■	8	3	3	19	25	■	15	6	5
3	■	8	■	21	■	12	■	6	■	9	■	23	■	22
19	3	22	6	16	9	23	■	25	■	12	■	7	■	6
9	■	23	■	9	■	25	■	8	■	17	■	6	■	13
25	6	7	3	23	12	■	11	22	19	21	21	8	12	1

A B C D E F G H I J K L M

N O P Q R S T U V W X Y Z

REFERENCE GRID

1	2	3	4	5	6	7	8	9 **U**	10	11	12	13
14	15	16	17	18	19	20	21	22	23	24	25	26

46

A B C D E F G H I J K L M

N O P Q R S T U V W X Y Z

10	20	8 L	2	18	15	25	■	1	15	21	7	14	23	4
20	■	12	■	23	■	12	■	22	■	3	■	14	■	15
8	12	4	22	20	18	6	12	18	■	3	21	8	12	21
8	■	14	■	17	■	26	■	8	■	18	■	■	■	20
26	18	15	25	14	6	■	23	18	20	8	26	15	21	6
21	■	18	■	6	■	12	■	6	■	■	■	14	■	23
16	20	8	20	■	12	6	14	9	21	15	18	10	8	14
14	■	■	■	19	■	3	■	■	■	14	■	14	■	■
■	11	20	12	1	■	8	21	21	1	22	21	8	14	19
13	■	1	■	8	■	18	■	15	■	14	■	8	■	22
12	6	19	4	18	6	4	■	18	13	18	15	12	23	14
15	■	4	■	4	■	12	■	23	■	15	■	21	■	18
18	1	18	15	4	■	21	12	8	■	19	21	6	18	15
24	■	15	■	14	■	6	■	14	■	18	■	■	■	14
21	20	4	23	15	5	■	12	19	21	8	18	4	21	15

REFERENCE GRID

1	2	3	4	5	6	7	L 8	9	10	11	12	13
14	15	16	17	18	19	20	21	22	23	24	25	26

47

Alphabet tracker (left): A B C D E F G H I J K L M

Alphabet tracker (right): N O P Q R S T U V W X Y Z

11	19	14	22	8	1(L)	8	19	9	■	25	14	8	19	4
2	■	17	■	16		16	■	7	■	26	■	12	■	18
14	17	12	8	19		15	8	19	19	7	26	22	18	5
1	■	8	■	8		18	■	■	8	■	18	■		
1	14	10	■	12	8	11	15	18	17	5	12	7	16	19
20	■	19	■	8		19	■	16	■	4	■	■	26	
2	20	18	1	17		8	16	25	14	19	18	14	19	7
■	■	26	■	14	26	13	■	26	■	■	10	■	16	
23	16	7	1	19		7	5	20	12	14	16	8	14	13
16	■	■	■	7		■	24	■	16	■	20	■	4	
14	3	18	14	■	4	9	21	7	26	14	7	12	8	14
6	■	16	■	18		14	■	■	1	■	14	■	16	
8	16	13	18	26		21	4	20	19	20	11	19	14	19
11	■	1	■	7		11	■	21	■	5	■	8	■	1
4	9	7	16	14	11	■	11	19	14	9	■	13	20	9

REFERENCE GRID

L 1	2	3	4	5	6	7	8	9	10	11	12	13
14	15	16	17	18	19	20	21	22	23	24	25	26

48

Codeword puzzle grid (the letters A–Z around the grid and the numbered REFERENCE GRID map coded numbers to letters; cell coded **9 = B**):

15	21	9 (B)	8	16	8	4	■	16	19	8	21	18	16	23
2	■	8	■	12	■	■	■	3	■	16	■	26	■	2
21	8	2	12	26	2	21	7	■	13	21	20	20	22	8
23	■	2	■	16	■	23	■	11	■	23	■	21	■	14
18	16	6	9	8	21	10	24	22	■	9	16	10	24	22
15	■	■	■	21	■	14	■	2	■	2	■	■	■	24
2	9	3	8	26	10	22	■	20	2	14	22	8	■	21
3	■	22	■	6	■	15	■	16	■	■	■	16	■	16
5	16	18	17	■	19	15	21	8	3	16	3	21	2	23
■	■	5	■	16	■	■	■	10	■	10	■	23	■	■
25	16	23	■	24	22	8	8	4	6	16	23	10	22	8
21	■	21	■	21	■	16	■	■	■	6	■	8	■	2
22	1	18	22	15	■	10	22	6	22	16	23	2	26	8
14	■	16	■	22	■	21	■	26	■	23	■	20	■	3
7	16	15	22	■	10	2	24	6	16	3	21	7	3	7

A B C D E F G H I J K L M

N O P Q R S T U V W X Y Z

REFERENCE GRID

1	2	3	4	5	6	7	8	9 (B)	10	11	12	13
14	15	16	17	18	19	20	21	22	23	24	25	26

49

Alphabet key (top): A B C D E F G H I J K L M

A	B	C	D	E	F	G	H	I	J	K	L	M		
23	12	5	2	21	21	22	2	24	■	5	9	17	15	17
8	■	14	■	17	■	26	■	5	■	22	■	4	■	24
4 (N)	8	3	22	9	■	7	5	7	22	24	19	8	24	18
10	■	5	■	2	■	22	■	1	■	8	■	7	■	1
2	4	4	5	20	22	14	■	23	5	9	11	7	1	8
13	■	23	■	■	■	17	■	5	■	17	■	8	■	20
5	4	22	23	14	8	16	5	9	■	16	8	24	16	22
9	■	■	■	22	■	22	■	9	■	17	■	16	■	■
■	6	2	5	9	20	■	14	17	1	23	8	2	4	16
25	■	24	■	17	■	5	■	8	■	■	■	4	■	22
8	24	13	5	4	■	23	8	4	21	17	14	22	4	16
14	■	22	■	22	■	23	■	■	■	24	■	■	■	5
17	4	4	■	5	15	8	20	17	4	5	16	17	8	4
5	■	23	■	16	■	24	■	9	■	4	■	9	■	2
23	9	11	14	22	1	14	5	9	22	■	1	18	17	1

Alphabet key (bottom): N O P Q R S T U V W X Y Z

REFERENCE GRID

1	2	3	4 (N)	5	6	7	8	9	10	11	12	13
14	15	16	17	18	19	20	21	22	23	24	25	26

50

A B C D E F G H I J K L M

6	24	2	11	23	19	5	24	5	■	18	24	3 (T)	2	10
17	■	26	■	2	■	24	■	3	■	19	■	20	■	24
5	1	22	10	6	22	11	11	20	16	17	■	16	22	11
10	■	2	■	24	■	24	■	20	■	2	■	16	■	9
20	23	3	9	16	2	10	■	25	2	11	20	2	23	3
13	■	24	■	■	16	■	■	10	■	24	■	24	■	■
24	23	15	22	10	15	2	3	20	■	23	24	23	7	2
2	■	■	■	22	■	23	■	7	■	11	■	■	■	25
■	5	15	2	10	10	17	14	2	11	■	2	16	24	2
8	■	10	■	10	■	14	■	15	■	24	■	2	■	16
10	20	2	■	2	10	2	5	1	2	23	■	25	2	3
2	■	24	■	8	■	17	■	■	■	4	■	3	■	9
12	19	21	8	24	20	■	24	21	21	2	3	22	16	20
19	■	■	■	20	■	16	■	2	■	23	■	16	■	24
23	20	15	20	5	5	2	16	17	■	3	16	20	2	6

N O P Q R S T U V W X Y Z

REFERENCE GRID

1	2	3 (T)	4	5	6	7	8	9	10	11	12	13
14	15	16	17	18	19	20	21	22	23	24	25	26

A B C D E F G H I J K L M   N O P Q R S T U V W X Y Z

20	21	17	23	21	18	16	17	■	12	24	16	18	8	4
3	■	13	■	19	■	17	■	13	■	2	■	13	■	21
11	3	22	25	4	■	15	16	25	18	16	3	11	16	14
11	■	21	■	2	■	16	■	10	■	17	■	21	■	10
24	17	18	13	20	16	25	25	16	17	1	■	7 (P)	16	25
2	■	16	■	21	■	13	■	3	■	■	■	2	■	■
14	3	3	11	11	4	■	21	7	3	7	11	13	6	4
■	■	24	■	■	■	9	■	16	■	18	■	■	■	13
5	21	2	25	13	■	21	17	21	11	3	1	3	24	2
21	■	■	■	7	■	14	■	■	■	1	■	18	■	25
18	13	25	18	16	19	24	25	16	3	17	■	16	18	13
18	■	13	■	25	■	26	■	17	■	3	■	1	■	18
21	5	21	2	10	■	26	13	17	■	2	14	21	11	23
17	■	14	■	13	■	16	■	13	■	16	■	20	■	21
25	21	10	16	25	16	■	22	18	3	2	25	16	11	4

REFERENCE GRID

1	2	3	4	5	6	P 7	8	9	10	11	12	13
14	15	16	17	18	19	20	21	22	23	24	25	26

52

A B C D E F G H I J K L M

N O P Q R S T U V W X Y Z

9	24	4	21	19	9	10	6	7	■	5 **H**	19	26	11	20
10	■	9	■	14	■	16	■	9	■	19	■	19	■	23
17	22	24	23	7	■	12	10	9	7	3	17	13	4	7
22	■	7	■	20	■	17	■	■	3	■	21	■	9	
13	7	2	24	10	17	20	■	10	1	24	22	24	10	22
■	■	19	■	21	■	26	■	22	■	■	■	17	■	■
26	7	22	23	7	22	19	9	18	■	26	10	21	24	26
9	■	26	■	■	23	■	15	■	5	■	■	■	5	
19	4	7	22	26	24	7	20	■	16	19	25	19	19	9
25	■	■	■	17	■	■	20	■	17	■	23	■	18	
24	13	7	22	23	24	26	19	6	■	12	6	10	20	20
22	■	■	6	■	10	■	7	■	12	■	21	■	19	
7	15	26	6	19	24	21	■	17	23	7	22	20	24	6
20	■	■	20	■	16	■	23	■	17	■	■	■	24	
20	8	17	19	20	5	■	4	5	7	9	11	24	22	20

REFERENCE GRID

1	2	3	4 **H**	5	6	7	8	9	10	11	12	13
14	15	16	17	18	19	20	21	22	23	24	25	26

53

A B C D E F G H I J K L M

13	11	11	3	22	4	16	16	█	7	9	9	17	12	16
2	█	2	█	11	█	4	█	23	█	10	█	12	█	9
16	12	6	18	3	█	23	19	11	8	2	9	3	3	9
23	█	18	█	4	█	3	█	25	█	█	4	█	█	█
19	11	3	2	25	24	4	█	24	12	16	9	10	10	4
2	█	█	█	12	█	3	█	9	█	12	█	12	█	15
10	4	20	11	23	18	12	20	10	█	22	4	25	14	11
█	█	8	█	█	█	11	█	25	█	9	█	█	█	23
6	16	2	3	3	11	25	21	█	3	19	4	2	10	4
19	█	4	█	9	█	█	█	6	█	3	█	25	█	16
4	25	25	9	1	4	22	16	9	█	4	15	3	16	21
5	█	24	█	3	█	4	█	21	█	19	█	12	█	15
12	█	9	8	2	4	16	█	20	26	12	16	16	9	3
9	19	19	█	19	█	20	█	9	█	4	█	█	█	12
19	█	20	9	9	█	4	6 **G**	19	11	25	11	10	12	23

N O P Q R S T U V W X Y Z

REFERENCE GRID

1	2	3	4	5	6 **G**	7	8	9	10	11	12	13
14	15	16	17	18	19	20	21	22	23	24	25	26

54

A B C D E F G H I J K L M

12	4	16	26	9	15	22	2	4 (Y)	■	13	19	26	20	8
8	■	22	■	26	■	25	■	26	■	19	■	■	■	17
21	22	20	19	15	5	4	■	7	15	8	9	19	21	8
21	■	■	■	15	■	■	■	23	■	17	■	17	■	5
24	23	15	9	19	15	22	8	21	■	7	23	6	23	15
8	■	23	■	16	■	21	■	■	■	26	■	22	■	8
15	23	6	19	20	8	21	■	16	22	17	23	20	19	24
10	■	21	■	■	■	26	■	15	■	5	■	■	■	■
■	1	23	21	23	8	5	19	23	15	■	18	23	15	26
11	■	3	■	17	■	22	■	25	■	12	■	17	■	8
22	7	22	26	20	22	9	■	8	24	8	20	23	19	15
5	■	26	■	15	■	8	21	21	■	17	■	24	■	21
2	23	17	2	19	8	21	■	23	2	2	8	4	■	26
8	■	■	■	2	■	■	■	17	■	26	■	■	■	9
14	8	22	2	20	9	26	8	20	■	24	19	18	8	10

N O P Q R S T U V W X Y Z

REFERENCE GRID

1	2	3	4 (Y)	5	6	7	8	9	10	11	12	13
14	15	16	17	18	19	20	21	22	23	24	25	26

A B C D E F G H I J K L M (left)   **N O P Q R S T U V W X Y Z** (right)

6	2 (M)	9	12	6	2	14	25	4	12	■	20	12	6	2
26	■	14	■	11	■	3	■	9	■	21	■	14	■	4
5	12	25	13	5	10	5	19	■	20	22	6	10	24	12
12	■	6	■	12	■	12	■	21	■	14	■	6	■	14
18	6	24	22	10	■	24	1	4	6	26	5	16	14	22
■	■	11	■	6	■	21	■	9	■	■	■	14	■	■
14	25	25	24	11	4	14	25	24	■	20	14	22	5	9
11	■	■	■	14	■	6	■	12	■	14	■	■	■	12
14	25	25	6	25	4	10	6	11	14	22	■	22	24	6
23	■	12	■	24	■	■	■	14	■	22	■	6	■	11
5	12	14	22	■	21	16	14	25	13	6	11	20	■	16
22	■	9	■	7	■	6	■	4	■	9	■	13	■	6
6	16	24	23	24	12	20	■	12	5	5	3	25	5	9
21	■	15	■	8	■	14	■	14	■	22	■	24	■	22
2	24	24	17	■	23	12	6	22	22	6	14	11	16	24

REFERENCE GRID

1	2 (M)	3	4	5	6	7	8	9	10	11	12	13
14	15	16	17	18	19	20	21	22	23	24	25	26

56

Alphabet tracker (left): A B C D E F G H I J K L M
Alphabet tracker (right): N O P Q R S T U V W X Y Z

Grid (■ = filled/black cell; 8 = L given):

15	8(L)	23	18	19	■	10	12	23	24	26	23	2	1	11
19	■	8	■	8	■	8	■	5	■	21	■	12	■	12
20	14	1	11	25	17	23	5	9	■	21	7	1	9	19
14	■	24	■	■	11	■	12	■	17	■	19	■	6	■
19	5	5	21	15	8	19	■	21	11	19	23	5	17	■
23	■	■	21	■	15	■	24	■	■	5	■	23	■	3
2	23	14	2	21	8	21	24	13	■	8	19	1	■	14
16	■	5	■	26	■	■	5	■	23	■	23	■	■	9
■	12	1	4	19	12	22	12	21	5	2	■	8	21	24
23	■	21	■	12	■	21	■	14	■	4	■	■	26	■
26	23	5	1	23	■	8	23	17	17	1	2	14	9	19
21	■	1	■	5	■	1	■	■	23	■	10	■	■	5
12	19	17	1	24	5	23	2	1	21	5	■	17	23	2
23	■	19	■	■	24	■	26	■	■	19	■	■	23	■
8	14	9	9	1	2	19	■	10	1	4	21	2	23	8

REFERENCE GRID

1	2	3	4	5	6	7	8 (L)	9	10	11	12	13
14	15	16	17	18	19	20	21	22	23	24	25	26

A B C D E F G H I J K L M

22	10	1	14	16	8	11	24	7		2	20	9	6	10
24		18				24		10		13		19		13
12	11	18	23	11	7	6		4	9	18	15	1	7	10
17		11		24		1		1		15		9		17
10	22	4	1	7	11	22	18	10	22	6	9	17		9
9		9		2		14		21		11				2
7	11	8 B	8	10	7		8	10	2	18	1	7	12	16
		17		17		2		7		9		9		
10	22	10	7	4	9	6	10		2	6	9	22	26	9
5				10		9		3		1		12		22
24	6	10	22	2	1	17		9	22	12	16	11	4	13
9		17				21		12				7		8
6	7	9	25	10	18	9	7	20		2		11		11
11		22		7		7		10		20		24		25
7	8	25	1	9	22	6		6	16	1	7	2	6	13

N O P Q R S T U V W X Y Z

REFERENCE GRID

1	2	3	4	5	6	7	8 B	9	10	11	12	13
14	15	16	17	18	19	20	21	22	23	24	25	26

58

A   B   C   D   E   F   G   H   I   J   K   L   M

3	21	16	11	12	6	█	8	12	20	2	22	13	10	4
6	█	13	█	26	█	15	█	16	█	20	█	16	█	22
22	17	2	21	5	13	12	█	23	20	25	25	2	12	6
9 **P**	█	2	█	13	█	20	█	21	█	4	█	13	█	11
21	16	21	3	21	20	3	21	1	12	█	20	18	3	10
18	█	14	█	10	█	19	█	12	█	18	█	11	█	15
20	3	4	9	21	18	20	2	█	9	20	9	4	6	21
2	█	█	█	3	█	1	█	20	█	6	█	█	█	6
█	24	20	7	12	11	12	12	9	12	6	█	3	15	12
24	█	7	█	█	21	█	█	9	█	22	█	15	█	█
6	12	7	20	21	16	23	12	6	█	3	20	21	16	3
22	█	22	█	6	█	12	█	22	█	█	█	7	█	15
19	21	16	█	21	16	14	2	20	7	7	20	17	2	12
3	█	21	█	10	█	12	█	18	█	20	█	2	█	14
15	12	20	3	16	12	6	█	15	20	6	1	12	10	3

N   O   P   Q   R   S   T   U   V   W   X   Y   Z

REFERENCE GRID

1	2	3	4	5	6	7	8	9 **P**	10	11	12	13
14	15	16	17	18	19	20	21	22	23	24	25	26

A B C D E F G H I J K L M

11	7	10	14	5	12	19	8	█	1	15	20	10	5	13
25	█	19	█	26	█	7	█	24	█	4	█	22	█	15
4	25	9	█	9	15	9	19	5	11	7	19	13	5	4
23	█	4	█	4	█	9	█	9	█	22	█	4	█	17
15	24	25	17	15	22	5	█	5	22	3	5	25	21	5
22	█	21	█	22	█	4	█	7	█	7	█	1	█	█
17	25	15	22	14	25	8	5	4	█	4	5	5	18	14
5	█	7	█	15	█	█	█	15	█	18	█	█	█	5
4	5	19	10	2 (C)	9	25	22	2	5	█	14	2	25	4
█	█	5	█	█	█	1	█	█	█	7	█	7	█	5
5	22	9	5	4	9	25	15	22	5	4	█	24	25	22
22	█	█	█	11	█	9	█	25	█	13	█	1	█	25
6	25	16	16	8	█	11	25	1	11	25	16	25	4	13
7	█	5	█	24	█	8	█	1	█	15	█	14	█	5
8	7	22	13	5	4	█	11	8	1	22	7	14	15	14

N O P Q R S T U V W X Y Z

REFERENCE GRID

1	2	3	4	5	6	7	8	9	10	11	12	13
	C											
14	15	16	17	18	19	20	21	22	23	24	25	26

A B C D E F G H I J K L M   N O P Q R S T U V W X Y Z

21	15	19	19	15	3	12	25	23	16	■	1	25	14	10
15	■	4	■	12	■	25	■	10	■	9	■	8	■	18
5	16	23	15	4	■	12	15	4	25	23	25	8	26	25
5	■	25	■	26	■	3	■	3	■	25	■	23	■	26
15	12	13	10	23	15	21	■	12	10	13	1	25	5	5
18	■	4	■	■	■	10	■	12	■	24	■	20	■	10
10	2	24	25	26	19	13	15	3	12	■	20	25	19	13
22	■	■	22	■	■	23	■	15	■	23	■	13	■	■
10	12	11	3	16	21	10	12	13	■	25	23	10	12	25
■	■	26	■	3	■	■	■	23	■	4	■	■	■	12
8	25	19	■	8	23	3	13	10	19	7	26	10	5	16
23	■	13	■	24	■	6	■	■	■	26	■	5	■	1
25	22	15	10	26	■	6	25	1	5	10	■	25	8 **G**	3
17	■	6	■	23	■	25	■	3	■	13	■	13	■	22
10	8	16	18	13	3	5	3	8	16	■	22	10	9	16

REFERENCE GRID

1	2	3	4	5	6	7 **G**	8	9	10	11	12	13
14	15	16	17	18	19	20	21	22	23	24	25	26

61

Grid (letters A–M down the left side, N–Z down the right side):

10	15	24	8	15	3	20	1 (Q)	19	20	15	23	10	17	7
2	■	19	■	17	■	13	■	15	■	■	■	16	■	20
10	18	15	8	25	7	20	■	10	16	5	3	8	9	20
8	■	20	■	■	■	15	■	23	■	20	■	15	■	24
9	17	10	15	9	17	3	23	■	14	20	15	10	23	22
8	■	4	■	20	■	8	■	17	■	7	■	15	■	■
16	8	8	3	23	■	15	8	3	23	17	7	18	10	17
26	■	16	■	17	■	18	■	3	■	18	■	■	■	25
22	8	9	10	7	12	■	6	20	16	20	9	10	17	22
10	■	■	■	7	■	21	■	23	■	■	■	15	■	8
24	8	16	2	19	16	8	12	■	16	17	15	18	20	16
17	■	8	■	16	■	21	■	9	■	25	■	16	■	16
7	8	19	15	18	20	3	■	20	11	19	2	17	23	20
7	■	3	■	10	■	20	■	15	■	23	■	23	■	15
12	20	23	■	24	10	16	24	19	9	3	26	20	24	23

REFERENCE GRID

Q 1	2	3	4	5	6	7	8	9	10	11	12	13
14	15	16	17	18	19	20	21	22	23	24	25	26

A B C D E F G H I J K L M

19	21	16	15	16	5	20	4	13	8	■	25	6	14	14
5	■	12	■	18	■	5	■	5	■	3	■	19	■	5
6	19	26	6	17	24	8	■	12	11	21	19	9	21	20
9	■	26	■	24	■	12	■	22	■	23	■	5	■	2
12	23	12	10	21	■	26	21	21	16	12	20	3	■	6
4	■	1	■	20	■	4	■	20	■	9	■	26	18	3
■	3 D	8	21	■	1	18	5	15	17	5	25	8	■	9
4	■	■	■	18	■	21	■	■	■	9	■	■	■	21
20	5	23	12	19	■	15	6	17	17	6	23	1	21	3
12	■	21	■	6	■	■	■	5	■	21	■	12	■	■
19	5	23	18	19	12	4	18	5	19	■	5	23	18	4
7	■	5	■	3	■	20	■	26	■	3	■	1	■	21
6	■	18	23	12	9	21	■	12	20	20	12	18	9	19
18	■	20	■	4	■	24	■	19	■	12	■	19	■	5
26	18	15	4	21	19	■	15	4	6	1	1	5	20	19

N O P Q R S T U V W X Y Z

REFERENCE GRID

1	2	3 D	4	5	6	7	8	9	10	11	12	13
14	15	16	17	18	19	20	21	22	23	24	25	26

63

When you have completed this puzzle transfer the letters to the grid below to find a proverb.

A B C D E F G H I J K L M

(crossword grid)

N O P Q R S T U V W X Y Z

REFERENCE GRID

1	2	3	4	5	6	7	8	9	10	11	12	13
W	A	X	i	Z	V		O	S	M	Y	T	E

14	15	16	17	18	19	20	21	22	23	24	25	26
G	U	P	D	N	H		K	f	Q	B	J	R	L

PROVERB

8	26	17		21	25	4	13	18	17	9		2	18	17	
O	L	D		f	R	i	E	N	D	S		A	N	D	

8	26	17		1	4	18	13		2	25	13		23	13	9	12
O	L	D		W	i	N	E		A	R	E		B	E	S	T

A B C D E F G H I J K L M

14	15	25	17	25	22	19	■	18	15	22	17	25	14	24
22	■	5	■	20	■	8	■	26	■	11	■	5	■	3
5	22	20	15	3	■	20	26	1 P	24	15	25	18	9	14
16	■	8	■	20	■	25	■	9	■	25	■	8	■	■
22	15	21	10	22	5	23	■	3	7	20	3	15	1	14
5	■	10	■	1	■	■	■	15	■	22	■	18	■	9
25	20	3	■	13	6	8	22	2	■	5	22	25	17	3
22	■	5	■	■	■	5	■	26	■	■	■	14	■	15
■	25	14	13	3	19	11	■	26	10	17	25	22	14	3
13	■	■	■	21	■	3	■	23	■	26	■	14	■	22
21	25	23	2	25	17	3	13	■	22	23	17	3	15	10
3	■	26	■	15	■	19	■	22	■	12	■	■	■	26
22	11	18	9	22	5	25	■	1	19	22	14	3	22	8
15	■	21	■	14	■	5	■	14	■	■	■	18	■	14
13	20	22	17	3	5	18	3	■	4	26	24	26	8	13

N O P Q R S T U V W X Y Z

REFERENCE GRID

| 1 P | 2 | 3 | 4 | 5 | 6 | 7 | 8 | 9 | 10 | 11 | 12 | 13 |
| 14 | 15 | 16 | 17 | 18 | 19 | 20 | 21 | 22 | 23 | 24 | 25 | 26 |

65

Codeword puzzle grid with row labels **A–M** (left) and **N–Z** (right):

A	16	14	20	1	13	6	7	13	17	8	■	10	21	24	23	N
B	17	■	24	■	7	■	2	■	21	■	16	■	23	■	13	O
C	12	7	4 **M**	3	7	■	1	21	18	21	12	25	5	■	7	P
D	7	■	7	■	20	■	13	■	16	■	13	■	20	■	9	Q
E	25	21	12	11	17	1	3	1	13	13	22	■	16	26	1	R
F	7	■	13	■	1	■	16	■	■	■	17	■	19	■	12	S
G	17	1	16	5	20	■	17	24	7	18	24	5	1	■	20	T
H	■	■	12	■	■	■	16	■	13	■	12	■	■	■	7	U
I	12	13	22	7	19	1	18	24	12	5	■	25	16	24	13	V
J	16	■	■	■	7	■	12	■	25	■	5	■	24	■	■	W
K	23	13	7	12	21	13	1	4	1	18	20	■	17	24	20	X
L	5	■	24	■	13	■	■	5	■	16	12	1	■	■	24	Y
M	24	17	17	21	4	24	18	16	20	1	5	■	13	7	3	Z

REFERENCE GRID

1	2	3	4 **M**	5	6	7	8	9	10	11	12	13
14	15	16	17	18	19	20	21	22	23	24	25	26

66

A B C D E F G H I J K L M

1	23	14	5	25	5	26	23	6	■	15	23	7	5	13
25	■	13	■	23	■	23	■	17	■	23	■	5	■	22
17	20	20	23	26	■	14	17	2 W	1	3	5	26	■	23
12	■	17	■	26	■	13	■	■	■	6	■	17	■	6
12	3	11	■	17	13	6	23	16	4	11	17	15	5	25
23	■	23	■	24	■	17	■	6	■	■	■	5	■	5
14	17	11	26	13	6	11	■	5	1	14	17	11	16	1
16	■	■	10	■	■	25	■	12	■	5	■	■	■	26
5	11	26	13	6	9	13	25	26	■	18	3	17	4	■
11	■	3	■	17	■	■	■	2	■	3	■	1	■	8
24	13	6	23	11	26	23	14	23	24	5	1	26	■	13
■	■	8	■	24	■	8	■	23	■	16	■	6	■	6
21	6	5	19	13	■	6	17	16	5	17	26	5	23	11
13	■	1	■	6	■	17	■	■	■	26	■	16	■	13
17	24	10	17	1	26	■	12	17	6	13	2	13	14	14

N O P Q R S T U V W X Y Z

REFERENCE GRID

1	2	3	4	5	6	7	8	9	10	11	12	13
	W											

14	15	16	17	18	19	20	21	22	23	24	25	26

Extra Letters

Puzzle No.	Second Letter	Third Letter	Puzzle No.	Second Letter	Third Letter
1	L = 4	R = 2	42	M = 19	W = 7
2	P = 16	T = 20	43	G = 5	U = 4
3	T = 20	D = 12	44	S = 23	Y = 17
4	L = 18	N = 23	45	B = 3	P = 5
5	N = 3	E = 24	46	C = 23	X = 9
6	D = 14	H = 26	47	Y = 9	G = 5
7	S = 3	L = 12	48	V = 25	D = 10
8	R = 18	M = 23	49	R = 24	C = 23
9	N = 11	L = 25	50	K = 1	N = 23
10	T = 13	L = 10	51	F = 22	H = 10
11	N = 15	T = 10	52	X = 15	S = 20
12	R = 14	D = 11	53	H = 18	L = 16
13	C = 10	R = 23	54	O = 26	P = 16
14	S = 25	T = 24	55	S = 21	R = 12
15	N = 22	G = 26	56	Q = 20	X = 7
16	M = 9	S = 6	57	K = 20	H = 16
17	B = 4	T = 23	58	S = 10	C = 18
18	R = 21	D = 16	59	H = 11	Y = 8
19	G = 19	L = 18	60	B = 1	L = 5
20	G = 18	L = 12	61	D = 2	N = 15
21	R = 16	U = 7	62	Z = 10	P = 25
22	T = 3	G = 13	63	T = 12	P = 16
23	S = 3	Y = 14	64	C = 20	V = 17
24	R = 3	L = 22	65	P = 23	U = 21
25	E = 1	W = 4	66	L = 14	T = 26
26	C = 26	T = 18			
27	S = 4	Y = 18			
28	M = 20	S = 12			
29	P = 16	N = 11			
30	N = 4	F = 5			
31	P = 2	S = 12			
32	Q = 24	P = 2			
33	L = 9	T = 12			
34	G = 20	U = 17			
35	T = 25	N = 17			
36	S = 21	R = 11			
37	U = 24	J = 9			
38	F = 10	T = 16			
39	B = 17	Z = 26			
40	T = 12	C = 23			
41	V = 21	N = 18			

1

```
D O V E T A I L   F I D G E T
R   I   A   N   S T U   O   R
A N A E S T H E T I C   F O R
U   D   K   O   A   H   F A Q
G L U M   O S P R E Y   A   U E
H   C   P   P   D       W O E
T I T H E   I R O N I C   R
B   N   T   M   M   S   E
O F F I C I A L   S P H I N X
A   I   I   B   S   R   L   T
R E X   L I L A C   O Z O N E
D   T       E   H   M   R
    J U N T A   Z E P P E L I N A
A   R   H   N   M   T   O   A
T H E R E F O R E   U N T I L
```

2

```
A D J U N C T   T R I C K L E
B   I   I   A   R   D   N   T
R E N D E Z V O U S   K I W I
O   X   C   E   S   S   F   Q
G O   N E U R O T I C   E M U
A   M       N       A   U   E
T H A T C H   P O I G N A N T
E   G   U   T   Z   L   L   T
    J I G S A W   O R I F I C E
J   S   T   E   N   A   E
A R T   O U N C E S   S N I P
R   R   D   T       J   L   U
G R A T I F I C A T I O N   U M
O   A   E   L   G   E   M
N E E D L E S S L Y   S T U B
```

3

```
M O C K E R Y   B E J E W E L
O   O   X   E R R   I E   A
T E Q U I L A   O M N I B U S
H   U   G   R   N   X   F   S
E W E   E U N U C H   S O L O
R   T O N       H   P   O
H O T   T O N S I L L I T I S
O   E       E T A       K
O F   A L K A L I   G R A V E
D   E   A   T   S   U   T
    D R I Z Z L E   S E P T I C
O R   I   Y   I       A   H
B R A Z E N   O D E S   C A P
O   T   S       E K   H   A
E L A S T I C   A N I S E E D
```

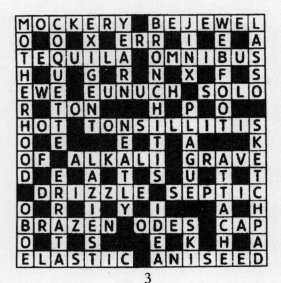

4

```
A I R S H I P   T U R K I S H
P   A   E   O   A   E   C   I
O X I D E   S U B M A R I N E
S   N   L   T   L   F   C   R
T A B L E S P O O N F U L   A R
A   O   R   O   I   O   E   R
S O W N   N A D I R   S A C H
Y       J   E   N E T       H
  W I Z A R D R Y   S O G G Y
Q   S   S   O   O   T   I
U L T I M A T E L Y   O P A L
A   H   I   O K   S   S   A
I M M U N I T Y   L A I T Y
N   U   E   E   O   A   E
T U S K   I M P R O V I S E R
```

5

```
  T A L K E D   G A M B L E
B   L   R O E       A   C
R U L E   G O W N   C A T C H
A   O   F   O N E   I   E   E
C O W S L I P   R E V E R S E
E   A   E R A   I   A   R
S H I P P E D   L O C A L L Y
I   O K       U I   O
S P O T T E D   I T E R A T E
Q   X   W   E R G   X   A
U N I F I E R   N E A R I N G
E   D   C   A G O   M   C L
A G I L E   T U R F   O O Z E
L   S       E Y E   N   T
  J E E R E D   D U R E S S
```

Proverb: Discretion is the better part of valour

6

```
B A D M I N T O N   B A D G E
A   O   M   O   A   U   N
G A Z E B O   E V E N S O N G
P   E   R   A   I   Y   F   E
I G N E O U S   G R I F F I N
P   G   T   A   P   S   D
E X C E L L E N T   S H O E R
S   A   I   R   E   J   O
  E S T O N I A   P A D R E
I   T       S   S   E   Q
B U L L O C K   W O M B   U
I   E   D   A   I   N   T H E
D   D   R A G   N O R   U E
E       L   S   E   A
M E R R Y   C H R I S T M A S
```

7

```
V E X A T I O N   F J O R D S
E   Y   R   X   A   U     I
N U L L I F Y   B U M P K I N
T   O   F   A   U   B   N   C
R E P E L   C O N J U G A T E
I   H   I   E   D   C   P   R
L E O   N I T   A R K   S H E
O   N   G   Y   N   A   L
Q U I T   F L A T   W A C K Y
U   S   P   E   E       K
I O T A S   N U Z Z L E   I F
I   S   E   I   C   M     A
M A S Q U E   B L O O D I E D
U       D       C   M   N E
T E M P O   A T H L E T I C S
```

8

```
C I R R H O S I S   V I O L A
O   A   O   Q   U   A   A   B
N O M A D   U N S I G H T L Y
S   P   S   A   P   U       S
C O A X   T W E E Z E R S   M A
I   A   N   J K   N   U     L
O U T L A W   E S P O U S A L
U       C   E   E   T   P   S
S H I R K   D A F F O D I L S
R   H   U   U   C   L   L
P R O S A I C A L L Y   I C E
R   N   M   A   S   O   N
O P I U M   T I G H T E N E D
W   N   E G O   A   A       E
L A G E R   R E G I S T R A R
```

9

```
T U R B A N   E F F U S I V E
O   I   L   K   U   N   G   C
R E B E L L I O N   I O N I C
R   A   E   S   K   S   O   E
E U L O G I S E   S E R M O N
N   D   O   D   X   I   T
T O   C R O Q U E T   N O R
I   S   Y   U   F   J I   I
A C H E   P A L A E O Z O I C
L   A   M   N   M   S   U
  I M B U E D   A R T I S A N
W   R   T   A C T   L       A
R O O S T E R   I C E L A N D
A   C   O   Y   O       N   I
P E K I N G   E N G E N D E R
```

10

```
L A B Y R I N T H   P L A N K
A   E   E   R   F   Y     E
R I B A L D   I S L A N D E R
R   Y   O A   L   I X     O
N A P H T H A L E N E   G A S
X       I B   T   A     E
  T R I V I A L   L E G I O N
J   O   I   L   S O   H   E
E Q U A T I O N   C H A S M
O   T   Y   N   K   N
P A I D   W E I R   T A X I
A   N   F   N   R A   M   M
R I E S L I N G   A   L I M B
D       A   O   Z   G   U
Y A C H T   S T R E N U O U S
```

11

```
C O R O N A T I O N   E C H O
R   E   E   I   P V   X
I C E B E R G   A L I M O N Y
I   L   D   H Q K   S   G
    F   T O U R I S M   E
C O S T U M E   E   N   O
I   L   N O   A G A T E
J A Z Z   N U N   I   A
O   Z I   W L   V O C A L
D I L E T T A N T E   P   T
H   E E D   I   A U G U R
P   R I D   M   L       U
U M B R A   L E A R N E D   I
R   U T   E     N       S
S U N K E N   N E P O T I S M
```

12

```
S C H O L A R S H I P   W A X
A   E   L   O   O   A   E
T A U T O L O G Y   V E G A N
C   R   Z B   D I E   N   O
H E I N O U S   E   R E C A P
E   S   N O   N   T   R   H
L A T T E R L Y   D Y N A M O
I       E       O       M B
V C A   T O K E N   P I E
A   A D   E   N   A   T
L O A F E R   J A C K A L   Q
I   W N   B   V   E   E M U
A P O L O G Y   I N D I A   O
N   K   I   S       N   T
T R E N D   E T H E R   R Y E
```

Puzzle 13:

```
D Y N A M I C   Q U A R T E T
E   O   A   A   T   A   O
V E N D E T T A   T A R I F F
A   S   S   R Y E   E   F
S P E C T R U M   R E F U G E
T   N   R   N   H   Y   E
A B S C O N D   A W E   E
T   I     E   T   X E N O N
E C C E N T R I C   C   D   O
    A   I   H A L V E   V
K I L O G R A M   U   A G E
E   H   R   W   D   V   M
D A Z E   F R E E Z E   O R B
G   O   S   A   L   U   E
E C O N O M Y   D   J U R O R
```

13

Puzzle 14:

```
T A R P A U L I N   K I O S K
O   E   D   A   O   I   N   N
M A J E S T Y   T A P I O C A
F   O   O   W   I   M   V
O S I E R   O B F U S C A T E
O   C   B   M   Y   T   S
L I E G E M A N   Q U O T E D
E   N   N   P   L   I   R
R I G H T S   P A S T I C H E
Y   I   S   R   I   A
  O P E R E T T A   F O R U M
Z   S   E   R   K E Y   I   L
O X Y G E N A T E   I R A Q I
O   D   W   E   N   T   K
M O U S S E   S T A G N A T E
```

14

Puzzle 15:

```
P U E R I L E   B U F F E T
I   I   I   C A R   A   A
Q   W O E F U L   A C M E   R T
U N I T   T   O   Z   E X I T
E   F   R E S C U E D   P   L
D E E M E D   H   N O V I C E
  G   B   K E G   C   R   T
O F F I C E   A N K L E T
I   R   R   Y E S   I   A
D E A R T H   N   I N J U R Y
I   C   H E D G I N G   P   A
O V A L   A   A   U   S O O N
  S O I L   G A R D E N   K
I   A   T O E   E   E   E
C R U N C H   A D A P T E D
```

British PM: William Gladstone

15

Puzzle 16:

```
M O S Q U I T O   Z O D I A C
O   I   N   O   S   A   S   A
N O M E N C L A T U R E   I T
A   U   A   L   R   U   A
S P L O T C H   Y A W N S   C
T   A   U   O   C   A   E   O
E   A   R   U S H E R   D A M
R E N T A L S   N   M   B
Y   E   L   E X I S T E N T
    H O T   P   N   H   U
P   U   K I S S E D   W A S
L   S   N   K   A   N   J
U S   V I O L I N   C A C T I
C   O   F   O   R   E   N
K I N D E R G A R T E N   O X
```

16

Puzzle 17:

```
B O B B I N   I N S T I N C T
O   I   N   A   E   O   O   I
D I S S E M B L E   P R O U D
K   O   R   Y   D   O   D   I
I G N I T E S   L A N O L I N
N   I   M   E   Y   E   G
  P Y J A M A S   S M A S H
F   E   L   D   Y   P
L E N G T H   Z I P   A S I A
E   E   B   S   M   T   R
X E R O X   R E Q U I S I T E
I   O   A   I   U   S   P   N
B R O W S E D   I N F L E C T
L   S   L   E   I   A
E X T R O V E R T   T I D A L
```

17

Puzzle 18:

```
A E S T H E T I C S   F A K E
D   A   E   R   L   O   N   S
J U X T A P O S E   M O T T O
U   O   R   M   N   E   A   T
D E P O T   B   C O L O G N E
I   H   E P O C H   E   O   I
C L O W N   N   S T U N   I C
A   N   E   I   T   I
T H E O R Y   I N V E R S E
E   E   C   Q   E   M
  P A R I S H   U G L Y   R A
G   Z   G   O   I   L
A L U M N U S   R A D I C A L
W   R   E   Y   G   O
K N E A D I N G   S E A N C E
```

18

19

20

21

22

23

24

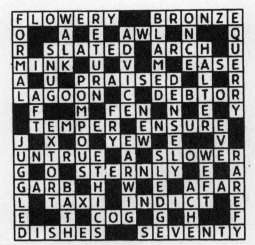

Grid 25

```
F L O W E R Y   B R O N Z E
O   R   A   E   A W L   N   Q U
R   S L A T E D   A R C H   U A
M I N K   U   V   M   E A S E R
A   U   P R A I S E D   L   R R
L A G O O N   C   D E B T O R Y
    F   M   F E N   N   E   Y
    T E M P E R   E N S U R E
J   X   O   Y E W   E   V
U N T R U E   A   S L O W E R
G   O   S T E R N L Y   E   A
G A R B   H   W   E   A F A R
L   T A X I   I N D I C T   E E
E   T   C O G   G   H   F
D I S H E S   S E V E N T Y
```

Series: Birds of a Feather

25

Grid 26

```
N E W S P A P E R   M A G I C
E   E   A   E   E   U   O   H
R   A   I R R E F U T A B L E
V I V I D   F   L   U   L   C
O   E   G E N E V A   I N K A
U   S   C   X   L   N   M
S O B R I E T Y       A
Y   N   I   A P R I C O T   T
J A Z Z   L O A D   I   H E
U   A   A   N   Z   P O E T
S E N A T E   V E T   R   M
T   T   P   I   U   O
I N I T I A L   A C R O B A T
C   N   R   O   L   A   E
E L E M E N T A L   Q U E S T
```

26

Grid 27

```
W A T C H   W A T E R F A L L
I   O   A   I O   E   V   E
L I M E R I C K   I G L O O S
D   O   E K   O   I   W   S
E A R N   W E L C O M E   N O
R   R   P   T C   E   H   N
N O O D L E   B I T   W A Y
E   W   A S   D   O   R   A
S   A G U E   E N Z Y M E S P
S O W   I X   N O   O   H
R O Y A L I S T   N I N T H Y
J A R   R S   W E   Y   Y
O L D   I   M I N I   W O X
K   S O   N   E   I
E A G L E   Q U A D   T O G A
```

27

Grid 28

```
J A G U A R   B U T T R E S S
E   A   X   A K   Y   N   A
O P U L E N T   U P R I G H T Y
P   Z   E   L   A   L   R R
A V E N U E   F E R N   I I R
R   D   O L   N O S E
D R U I D   P O E S Y   H W
Y   L E T   O       E E
  S C O R P I O N   K H A K I I
Q   E   C   R A   V   R R
Q U A   R A C I S M   F L I P
R   O   E M I T   A   A
R A I L W A Y   E   A L T E R
T   N   D   N   O   I
O M N I V O R O U S   A R E A
```

28

Grid 29

```
B U N Y I P   Z E P P E L I N
O   O N   U   U   U   E   A
U N M A S K   R E F I N E R Y
D   A   I   I   F   C
O R D I N A N C E   A B H O R
I   I   C   H   M   E
R O C K E R Y   F E A S T   Q
A   R   E   Z   E M U   U
G R O W E R   A M O E B A   I
A   R   J   I   D   E
Z A B A G L I O N E   T H E M
E   I   R   G   I F   Y
T A T T O O   S O L V E N T
T A U   W E T   E   N   O
E C L I P S E   S E X T A N T
```

29

Grid 30

```
L U G G A G E   S W A R T H Y
U   A   G G   T   V A   O
C O R R O B O R A T I O N   K
U   N   N   B   A   T   E
B   I D Y L L   L I T E R A L
R   S   E   E   I   U
A T H L E T I C   Z O O M E D
T   O   S   E   N   E
E X T I N G U I S H   H A D J
O   R   C   G   L   E
M A R Q U E E   U R A E M I C
A   M   P L   L   A   T
F R E E S T Y L E   F U N G I
I   N E   N E E   A   O
A N T   T R U S T   R   C N
```

30

31

```
TROPHY VOLCANIC
O P Y O C A I O
RHAPSODICAL RIM
N Q T E A L V E
ACUMEN ASPIRANT
D E R F I G N
OWN IGLOO ROAST
U S P B A A
JUST IMP UPHILL
U S P B H M K
DO DETOX MYOPIA
A H P Y S L T
INERTIA CANZONI
S L I U A R V
MIMIC TIMEPIECE
```

31

32

```
CICADA JEWELLER
H O E E X Q I O R
AGRONOMIC UNFIT
T N T P L I T A
TESTIFY AMPLEST
E T S R I M M R E
ROAST E AGEISTS
B L RA T N O
OAKUM LEISTER
X A O O A
 DECRIMINALISED
Z V I U U E E
EJECT SEMICOLON
A R A T U I L C
LOYALTY MEDIATE
```

32

33

```
SQUADRON KNIGHT
H N R R J E R A
ABSCOND AXEBIRD
D A A U D L P
OBVERSION FOLIO
W O E N U U L
YOUTHS SYLLABLE
R E P L L
PHYLA EMPHYSEMA
U R R L M N
ZYGOSIS OCARINA
Z E A I D R S R
LOCALISED ETHIC
E K T E N H
DIOXINS REALITY
```

33

34

```
FROLIC KANGAROO
I R J L A E C
FABRICATION SAT
T I N W G G H A
HATBOX GNASHING
A P S M T P O
VALUE THEREUPON
I R R N R E
ANIMALISTS ADZE
B M T C R R
IRAQI KIDNAPPER
L M V L U F U H
IMAGERIES FUNGI
T T N K L N
YIELD GEYSERITE
```

34

35

```
POETICALLY ITEM
A Q N B E A H E
SHUNT SWEETNESS
T I E T K T M S
EXPANDED FRIEZE
P T N I A N
QUIT STUNT CLING
U N H I T N E
EAGLE OVEN AJAR
R A N R F U
UNTIDY ANALYSED
L H W P M A R
OPERATIVE GLIDE
U F Y E N O C G
SITE PRETENDERS
```

Quotation: I must be cruel only to be kind

35

36

```
NOWADAYS JACKAL
A A A O F B R O
RATATOUILLE ION
C C U A T L G
INHUMANITY GLUE
S W O F D V
SPONGER ORIGAMI
I R A T O F X T
SUDAN HATEFULLY
M G W I E
 MALPRACTICE AM
Q L R U Z I
UPBRAIDED LAIRD
I O N OPT N S
ZIP KHMER YACHT
```

36

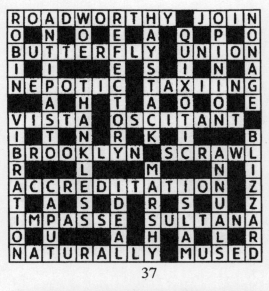

37

ROADWORTHY JOIN
BUTTERFLY UNION
NEPOTIC TAXIING
VISTA OSCITANT
BROOKLYN SCRAWL
ACCREDITATION
IMPASSE SULTANA
NATURALLY MUSED

38

HARBINGER FLOCK
DOLPHIN WROUGHT
AUTOBIOGRAPHY
OUTSIZE IBEX
CASHMERE STRIVE
BAILIFF INQUEST
NASTINESS INDIA
OBLIGATION STAY

39

AMBASSADOR FUZZ
BAPTISM FAILING
GULAG SOLD MENU
OARS MICRONESIA
SOMNOLENT ALLY
WAX REJOINDER
GIMMICK VISITOR
NYLON RURAL RAM

40

SPINIFEX KITSCH
AMAZING ILLICIT
FRIVOLITY GUSTO
AMNIOTIC SCALDS
IRONY EXHALANT
NYLON CAPRICCIO
ACQUAINTANCE IT
LIE STETHOSCOPE

41

UTOPIA HANDICAP
UNPLUMBED NEXUS
PERICARDIUM WRY
STUPID STOCKING
NET IMPS OF
UNYOKED SHOGUN
AZURE ORCHESTRA
EVE DISTURBANCE

42

IDYLLIC SUBJECT
DICTATORSHIPS
VOTES EMBEZZLER
DRAINAGE BOSNIA
AQUAPLANE EXIT
DISINHERIT TWO
ANIMATION KOREA
TEMPER ISONOMIC

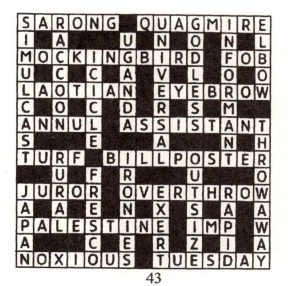

43

```
S A R O N G   Q U A G M I R E
I   A     U N   O     N   L
M O C K I N G B I R D   F O B
U   C     C   A   V   L   O
L A O T I A N   E Y E B R O W
C   C     D   R   S   M
A N N U L   A S S I S T A N T
S     E       A       N   H
T U R F   B I L L P O S T E R
    U   F   R     U       O
J U R O R   O V E R T H R O W A
A     E   N   X   S   A     A
P A L E S T I N E   I M P   W
A       C     E   R   Z I   A
N O X I O U S   T U E S D A Y
```

44

```
C A L F   H A P H A Z A R D
A     L I D O   R   W   N E
P L O Y   I M M I N E N T   C
E   R   A P E   V       H   I
R O B   V   M I S F I R E D   E
    W I S E   A   L   O   A   L
B E T   R U C H E   B O X E D
A     C     C   G       L
N O T E S   E V E N T   J A Y
O   O   A   L   D   H E A L
U N P A C K E D     E   D E W
E   E   M     R   S L Y   E H
T   O B S T A C L E   A D Z E
E     S   I   T   A G O G   E
D E T E R G E N T   E V I L
```

Opera: The Pirates of Penzance

45

```
G A U Z E   U N D E R F O O T
L   R   G   N   R   I   C   H
A M B I G U I T Y   G U A V A
M   A   N   S   H   A   N
O M N I P R E S E N T   I N K
R   I   X   S W   N
O B J E C T   E S C A P A D E
U   E   T   C       R       X
S I R   U N A V O I D A B L E
B   A   R   B   R   O       M
O B L I Q U E   A B B O T   H I P
U   E   U   R   I   U   E   L
O B L I Q U E   I T A R N   I
    U   E   U   T   A N   I F
T I M B E R   G L O S S A R Y
```

46

```
B U L W A R K   P R O J E C T
U   I   C   I   H   F   E   R
L I T H U A N I A   F O L I O
L   E   M   D   L   A       U
D A R K E N   C A U L D R O N
O   A   N   I   N   E   C
Z U L U   I N E X O R A B L E
E   L   S   F       E   E
  Q U I P   L O O P H O L E S
V   P   L   A   R   E   L   H
I N S T A N T   A V A R I C E
R   T   T   I   C   R   O   A
A P A R T   O I L   S O N A R
G   R   E   O   E   A       R
O U T C R Y   I S O L A T O R
```

47

```
S T A B I L I T Y   F A I T H
W   D   N   N   E   R   M   U
A D M I T   J I T T E R B U G
L   I   I   U   I   U       R
L A X   M I S J U D G M E N T
O   T   I   T   N   H       R
W O U L D   I N F A T U A T E
    R   A R C   R       X   N
K N E L T   E G O M A N I A C
N       E   Z   N   O   H
A Q U A   H Y P E R A E M I A
V   N   U   A       L A N
I N C U R   P H O T O S T A T
S   L   E   S   P   G   I L
H Y E N A S   S T A Y   C O Y
```

48

```
L I B R A R Y   A F R I C A N
O   R   Q   T   A   U   O
I R O Q U O I S   Z I P P E R
N   O   A   N   J   N   I   W
C A M B R I D G E   B A D G E
L   I   W   O   O       G   I
O B T R U D E   P O W E R   A
T   E   M   L   A       A   N
H A C K   F L I R T A T I O N
    H   A   D   D   N
V A N   G E R R Y M A N D E R
I   I   I   A   M   R   O
E X C E L   D E M E A N O U R
W   A   E   I   U   N   P T
S A L E   D O G M A T I S T S
```

49

```
CHAUFFEUR ALIBI
O D I X A E N R
NOVEL PAPERWORK
J A U E S O P S
UNNAMED CALYPSO
G C I A I O M
ANECDOTAL TORTE
L E E L I T
QUALM DISCOUNT
Z R I A O N E
ORGAN CONFIDENT
D E E C R A
INN ABOMINATION
A C T R L N L U
CLYDESDALE SKIS
```

49

50

```
DIAGNOSIS VITAL
Y Q A I T O E I
SKULDUGGERY RUG
L A I I E A R H
ENTHRAL PAGEANT
X I R L I I
INCULCATE NINJA
A U N J G P
SCALLYWAG ARIA
B L L W C I A
LEA ALASKAN PAT
L I B Y F T H
ZOMBIE IMMATURE
O E R A R I
NECESSARY TREAD
```

50

51

```
MANDARIN QUIRKY
O E B N E S E A
LOFTY VITRIOLIC
L A S I H N A H
UNREMITTING PIT
S I A E O S
COOLLY APOPLEXY
U J I R E
WASTE ANALOGOUS
A P C G R T
RETRIBUTION IRE
R E T Z N O G R
AWASH ZEN SCALD
N C E I E I M A
TAHITI FROSTILY
```

51

52

```
RIGMAROLE HACKS
O R W B R A A T
UNITE FOREJUDGE
N E S U J M R
DEVIOUS OPINION
A M C N U
CENTENARY COMIC
R C T X H H
AGENCIES BAZAAR
Z U S U T Y
IDENTICAL FLOSS
N L O E F M A
EXCLAIM UTENSIL
S S B T U I
SQUASH GHERKINS
```

52

53

```
FOOTBALL WEEVIL
U U O A C M I E
LIGHT CROQUETTE
C H A T N A
ROTUNDA DILEMMA
U I T E I P
MASOCHISM BANJO
Q O N E C
GLUTTONY TRAUMA
R A E G T N L
ANNEXABLE APTLY
Z D T A Y R I P
I EQUAL SKILLET
E R R R S E A
R SEE AGRONOMIC
```

53

54

```
HYPOCRISY QUOTA
A I O V O U N
LITURGY DRACULA
L R E N G
MERCURIAL DEFER
A E P L O I A
REFUTAL PINETUM
K L O R G
BELEAGUER ZERO
J X N I V H N A
IDIOTIC AMATEUR
G O R ALL N M L
SENSUAL ESSAY O
A S N O C
WAISTCOAT MUZAK
```

54

55

```
I M P R I M A T U R   G R I M
  V A   N   F   P   S A U     A
O R T H O D O X   G L I D E R A
  Y   I   R     R   S A   I   A
Y I E L D   E Q U I V O C A L
      N   I   S   P       A
A T T E N U A T E   G A L O P
  N     A   I     R   A     R
A T T I T U D I N A L   L E I N
  B     R   E     A     I   N
O R A L   S C A T H I N G   C I
  L   P   J   I   U   P   H I
I C E B E R G   R O O F T O P
  S   Z   W   A   A   L E L
M E E K   B R I L L I A N C E
```

56

```
B L A Z E   P R A G M A T I C
  E   L   L   N   O   R     R
Q U I C K S A N D   O X I D E W
  G     C   R   S   E       W
E N N O B L E   O C E A N S
  A   O   B   G     N     J
T A U T O L O G Y   L E I   U D
  H   N   M   N   A   A   D
  R I V E R F R O N T   L O G
  A   O   R   O   U   V     M
M A N I A   L A S S I T U D E
  O   I   N   I   A   P     N
R E S I G N A T I O N   S A T
  A   E   G   M       E   A
L U D D I T E   P I V O T A L
```

57

```
N E I G H B O U R   S K A T E
U   M     I   U   E   Y X   Y
C O M F O R T   V A M P I R E
L   O   U   I   P   A   L A S
E N V I R O N M E N T A L
A   A   S   G   W   O     H
R O B B E R   B E S M I R C H
    L   L   S   R   A
E N E R V A T E   S T A N Z A
Q   U   E   A   J I C     N
U T E N S I L   A N C H O V Y
A   L     W   C   R   O   B
T R A D E M A R K   S   O D
O   N   R   R   E   K   U
R A D I A N T   T H I R S T Y
```

58

```
T I N K E R   J E A L O U S Y
R   U   X   H   A   N   O
O B L I Q U E   D A Z Z L E R
P     L   U   A   I Y   U K
I N I T I A T I V E   A C T S
C   F   S   W   E   C   K
A T Y P I C A L   P A P Y R I
L     T   V   A   R       R
  G A M E K E E P E R   T H E
G   M   I     P   O   H
R E M A I N D E R   T A I N T
O   O   R   E   O     M   H
W I N   I N F L A M M A B L E
T   I   S   E   C   A L F
H E A T H E R   H A R V E S T
```

59

```
H O U S E F L Y   P I Q U E D
A   L   X   O   M   R   N   I
R A T   T I T L E H O L D E R
B   R   R   T   N   R   G
I M A G I N E   E N W E A V E
N   V   N   R   O   O   P
G A I N S A Y E R   R E E K S
E   O   I     I   K       E
R E L U C T A N C E   S C A R
    E   P   O   O   E
E N T E R T A I N E R   M A N
N   H   T   A   D   P     A
J A Z Z Y   H A P H A Z A R D
O   E   M   Y   P   I S
Y O N D E R   H Y P N O S I S
```

60

```
M I S S I O N A R Y   B A K E
I   C   N   A   E W   G   P
L Y R I C   N I C A R A G U A
L   A   U   O   O   R   U
I N T E R I M   N E T B A L L
P   C   E   N   H   V   E
E X H A U S T I O N   V A S T
D   D   R   I   R   T
E N J O Y M E N T   A R E N A
    U   O   R   C       N
G A S   G R O T E S Q U E L Y
R   S   H   F       L   B
A D I E U   F A B L E   A G O
Z   F   R   A   T     T   D
E G Y P T O L O G Y   D E W Y
```

61

```
I N C O N S E Q U E N T I A L
D U A V N I R E E
I G N O B L E   I R K S O M E
O E N T E N C
M A I N M A S T   Z E N I T H
O F E O A L N
R O O S T   N O S T A L G I A
P R A G S G B
H O M I L Y   J E R E M I A H
I L W T N O
C O R D U R O Y   R A N G E R
A O R W M B R R
L O U N G E S   E X U D A T E
L S I E N T T N
Y E T   C I R C U M S P E C T
```

62

```
N E W S W O R T H Y   P U F F
O A I O O D N O
U N L U C K Y   A V E N G E R
G L K A X M O J
A M A Z E   L E E W A R D   U
T B R R G L I D
  D Y E   B I O S C O P Y   G
T I E G E
R O M A N   S U C C U M B E D
A E U O E A
N O M I N A T I O N   O M I T
Q O D R L D B E
U   I M A G E   A R R A I G N
I R T K N A N
L I S T E N   S T U B B O R N
```

63

```
K I D   A T T A C H   B A
N J O M I N F A N T E
A S T E R N   P U N   R E
I W I L G L O R Y E
D E C R E P E E E
H E A L S E R S A L O N
O R T E M P E S T C
E X T R A N S A R O M A
I G L A Z I E R V S
N E R V E N D T E A S E
G O E T H E R Q P
A M O N G U I U E
E A R A M F E A R E D
B A N G L E I L L C
B Y T I D I E R W H Y
```

Proverb: Old friends and old wine are best

64

```
T R I V I A L   G R A V I T Y
A N C U O F N E
N A C R E   C O P Y R I G H T
Z U C I H I U
A R M B A N D   E X C E R P T
N B P R A G T H
I C E   S Q U A W   N A I V E
A N N O T E R
S   I T S E L F   O B V I A T E
M E D O T A
M I D W I V E S   A D V E R B
E O R L A K B
A F G H A N I   P L A T E A U
R M T N T G U
S C A V E N G E   J O Y O U S
```

65

```
A F T E R W O R L D   Q U I P
L I O V U A P R O
C O M B O   E U N U C H S   J
O O T R A R T J
H U C K L E B E R R Y   A X E
O R E A L G C O
L E A S T   L I O N I S E R
A C A R C O
C R Y O G E N I C S   H A I R
A O C H S I
P R O C U R E M E N T   L I T
S I R R S A C E I
I L L U M I N A T E S   R O B
Z E O R H O E
E Q U A T O R I A L   G N A T
```

66

```
S O L I C I T O R   M O V I E
C E O O A O I X
A B B O T   L A W S U I T O R
F A T E R A R
F U N   A E R O D Y N A M I C
O O G A R I
L A N T E R N   I S L A N D S
D H C F I T
I N T E R J E C T   Q U A Y
N U A W U S K
G E R O N T O L O G I S T
K G K O D R
P R I Z E   R A D I A T I O N
E S R A T D E
A G H A S T   F A R E W E L L
```

PhP
PETER HADDOCK PUBLISHING

Published by
Peter Haddock Publishing,
United Kingdom YO16 6BT